D1255019

PepperMind

Foto: Marlene Jablonski

Christian Bieniek

lebt in Düsseldorf und Wien und schreibt für Kids und Erwachsene.

Über dieses Buch

Rebekka ist schon lange unsterblich in Adrian verliebt. Doch der hat leider für eine Traumfrau wie sie kein Auge. Selbiges hat jedoch Luca seit neuestem auf Rebekka geworfen. Dumm gelaufen, dass für sie Jungen ihres Alter absolut indiskutabel sind: picklig, eklig und überhaupt völlig unfähig, eine „Frau" wirklich zu verstehen – total unreif eben. Also bleibt Luca nichts anderes übrig, als sich auf seine Casanova-Qualitäten zu besinnen, bis es endlich heißt: *amore, amore ...*

Die hinreißend komische Fortsetzung zu „Knutschen erlaubt!"

Christian Bieniek

Ciao, Amore!

PepperMind

Die Reihe PepperMind erscheint im Egmont Franz Schneider Verlag.

© 2001 by Egmont Franz Schneider Verlag GmbH
Alle Rechte vorbehalten
Umschlaggestaltung: ZERO Werbeagentur, München
Druck und Bindung: Clausen & Bosse, Leck
ISBN 3-505-11562-2

„Wir sind krank! Wir sind krank!"

Mit diesem Gejammer werden Carlotta und ich von Muriel begrüßt, als wir am Montagmorgen vor dem Schultor auftauchen.

„Wer ist krank?", fragt Carlotta.

„Wir drei!", behauptet Muriel. „Du, Rebekka und ich."

Ich runzle die Stirn. „So? Was fehlt uns denn?"

„Die Periode!"

Carlotta und ich wechseln einen belustigten Blick und fangen dann an zu lachen.

„Das ist kein bisschen komisch!", regt sich Muriel auf. „Alle anderen Mädchen in unserer Klasse haben schon ihre Tage. Dabei sind fast alle jünger als wir."

Carlotta zuckt die Achseln. „Na und?"

„Na und!", wiederholt Muriel mit finsterer Miene und stampft dabei mit dem Fuß auf. „Meinst du, ich will mein erstes Tampon benutzen, wenn ich Rentnerin bin?"

„Ich will gar kein Tampon benutzen", sagt Carlotta. „Binden sollen viel besser sein, behauptet meine Kusine."

„Quatsch!", schnaubt Muriel. „Ihr solltet euch mal die Binden von meiner Mutter angucken. Wahnsinn, wie riesig die Dinger sind! Da kann ich mir auch gleich einen ganzen Verbandskasten in den Slip stopfen."

Kopfschüttelnd frage ich Muriel: „Sag mal, warum machst du dir plötzlich Gedanken darüber?"

„Weil heute Morgen die Tamponwerbung im Radio lief, die du gesprochen hast. Und dabei hab ich mein Frühstücksei angeguckt. Hier, schaut mal!"

Sie greift vorsichtig in ihre Anoraktasche und holt ein braunes Ei heraus.

„Stellt euch vor: So ein Ding wandert demnächst gemütlich bei uns im Bauch herum", erklärt Muriel und starrt fasziniert auf das Ei. „Es wandert und wandert und wandert. Und dann auf einmal –"

„Igitt!", schreit Carlotta. „Was soll denn diese Sauerei?"

Nicht zu fassen: Muriel hat das Ei zerquetscht! Ihre Hand sieht so ekelhaft aus, dass mir fast das Müsli hochkommt.

„Good morning, girls!", flötet in diesem Moment Mrs Fitzgerald, unsere Englischlehrerin.

Sie will weitergehen, doch beim Anblick von Muriels rechter Hand bleibt sie stehen und erkundigt sich besorgt:

„Was ist passiert?"

„Nichts", antwortet Carlotta. „Muriel hat nur gerade ihre Tage gekriegt."

Mrs Fitzgeralds Gesicht verwandelt sich in ein großes Fragezeichen.

Ich versuche es mit Englisch. „This was an egg", sage ich und zeige auf Muriels Hand. „Now it is Dreck", reime ich, was Mrs Fitzgerald jedoch nicht sonderlich beeindruckt.

„Aha", murmelt sie nur und trippelt dann auf ihren hohen Stöckelschuhen davon.

Wir setzen uns ebenfalls in Bewegung, und zwar Richtung Toilette, damit sich Muriel die Hände waschen kann.

Während wir den Schulhof überqueren, stößt mich Carlotta in die Seite und meint: „Merkwürdig, dass du 'ne Tamponwerbung gesprochen hast, Rebekka. Du hattest doch noch nie deine Periode."

„Ich hab auch schon mal Werbung für Vogelfutter gemacht und ernähre mich trotzdem nicht von dem Zeug."

Meine Stimme ist öfter im Radio und Fernsehen zu bewundern, hauptsächlich in Werbespots, aber manchmal auch in Hörspielen.

„Wir sollten uns alle drei röntgen lassen", schlägt Muriel vor, als sie kurz darauf mit sauberen Händen aus der Toilette kommt. „Das ist doch nicht normal, dass wir noch keine Periode haben. Vielleicht stimmt was nicht mit uns!"

9

„Ja, vielleicht sind wir Jungs und haben es noch gar nicht gemerkt", scherzt Carlotta und zwinkert mir dabei zu.

Doch in der ersten großen Pause schafft es Muriel, Carlotta mit ihren Periode-Sorgen anzustecken. Eine halbe Stunde lang reden die beiden über nichts anderes mehr.

In der zweiten Pause starten sie eine megapeinliche Umfrage unter den Mädchen der Parallelklassen. Niedergeschlagen verkündet mir Muriel das Ergebnis: „Alle Mädchen außer einem haben schon ihre Tage." Seufzend fährt sie sich durch die Haare. „Irgendwie komme ich mir vor wie 'n kleines Baby. Ich werde doch bald fünfzehn und will endlich bluten!"

„Du blutest gleich aus der Nase, wenn du nicht sofort mit diesem Schwachsinn aufhörst!", drohe ich ihr mit geballten Fäusten. „Können wir nicht mal über was anderes quatschen?"

In der letzten Stunde haben wir Kunst. Wir müssen eine gelbe Rose in einer Glasvase zeichnen. Ich wäre nicht überrascht, wenn Muriel und Carlotta ihren Rosen die Form von Tampons verpassen würden. Wenn ich auf dem Nachhauseweg noch einmal das Wort Periode höre, sehe ich rot! O nein: Kaum ertönt der Schlussgong, schlägt Muriel allen Ernstes vor, in die nächste Drogerie zu gehen und eine Packung Tampons zu kaufen.

„Wozu?", brumme ich. „Glaubst du, eins deiner Eier wandert prompt drauflos, wenn du dir 'ne Tampon-Packung an den Bauch hältst?"

„Natürlich nicht, aber wir sollten uns so früh wie möglich mit dem ganzen Kram beschäftigen. Könnte ja sein, dass ich schon heute Nachmittag zum ersten Mal meine Tage kriege. Ich ruf dich sofort an, wenn ich sie tatsächlich bekommen habe, okay?"

Ich winke ab. „Nicht nötig. Dein Freudenschrei ist bestimmt in der ganzen Stadt zu hören!"

Auf dem Nachhauseweg treiben mich Muriel und Carlotta fast in den Wahnsinn. Sie quasseln über nichts anderes als über die Periode, gähn ... Ich werde bestimmt nie wieder ein Ei essen können, ohne dabei an Tampons denken zu müssen.

Da sie kein Geld in der Tasche haben, fällt der Abstecher in die Drogerie zum Glück aus.

„Oder leihst du uns was, Rebekka?", bittet mich Muriel. „Du bist doch eine reiche Schauspielerin."

„Erstens bin ich nur eine Sprecherin und keine Schauspielerin", stelle ich klar. „Und zweitens bin ich nicht reich." Jedenfalls nicht so reich wie ein Hollywoodstar. Aber für eine Vierzehnjährige habe ich wirklich jede Menge Geld auf dem Sparbuch, das stimmt.

„Und drittens bist du ein schrecklicher Geizhals!", fügt Carlotta grimmig hinzu, worauf ich erwidere: „Ich bin nur sparsam, sonst nichts!"

12   „So sparsam, dass du dir deine Tampons selbst basteln

wirst!", zischt Muriel. „Wahrscheinlich aus leeren Klorollen, das ist am billigsten."

Jetzt reicht's!

Mit Riesenschritten marschiere ich davon, ohne mich von den beiden Dummschwätzerinnen zu verabschieden.

Muriel brüllt hinter mir her: „Darf ich mal fragen, was du hast?"

„Angst, dass mir die Ohren abfallen, wenn ich euch noch länger zuhöre!", brülle ich zurück.

Die beiden kichern drauflos. Obwohl sie meine besten Freundinnen sind, kann ich sie manchmal einfach nicht ausstehen! Dann fühle ich mich wie eine Erwachsene, die sich mit zwei albernen Kleinkindern abgibt.

Fünf Minuten später schließe ich die Wohnungstür auf. Ellen, meine älteste Schwester, kommt aus der Küche.

„Na? Wie war's in der Schule?"

„Wie immer", antworte ich. „Wir haben unseren Geschichtslehrer verprügelt, den Hausmeister gefesselt und den Chemieraum hochgehen lassen. Möchtest du immer noch Lehrerin werden?"

Sie zieht eine Flappe. „Sehr komisch! Los, setz dich hin. Sophie und ich haben mit dem Essen auf dich gewartet."

„Was gibt's denn?"

„Rühreier mit Speck."

„Igitt! Von Eiern hab ich erst mal die Nase voll!"

Ich will auf die Toilette, aber die Tür ist abgeschlossen.

„Beeil dich!", bitte ich Sophie. „Ich muss mal ganz dringend."

„Dann pinkle in die Spülmaschine!", knurrt meine sechzehnjährige Schwester. „Es kann nämlich noch 'ne halbe Stunde dauern. Ich hab meine Tage!"

O Gott!

Total entnervt verziehe ich mich in mein Zimmer, das leider nur zur Hälfte mir gehört. In der anderen, die durch einen Kreidestrich von meiner getrennt ist, wohnt Sophie. Tagsüber verstehen wir uns nicht besonders gut. Aber abends, wenn wir in unseren Betten liegen und das Licht ausgemacht haben, sind wir oft ein Herz und eine Seele. Dann erzählen wir uns Sachen, die wir keinem anderen Menschen auf der Welt anvertrauen würden.

Nachdem ich die Schultasche neben den Schreibtisch gepfeffert habe, lasse ich mich aufs Bett fallen und schließe die Augen. Wenn ich jetzt einschlafe, träume ich garantiert von einem gigantischen Tampon, der mir abwechselnd von Muriel, Carlotta und Sophie auf die Rübe gedonnert wird. Oder von einem Ei mit Wanderschuhen und Rucksack, das fröhlich singend durch meinen Körper spaziert.

14 Ehrlich gesagt ist mir völlig egal, wann ich zum ersten Mal meine Tage bekomme. Von mir aus könnte ich auch ruhig bis zum Rest meines Lebens darauf verzichten. Blut mag ich nur in Form von Blutwurst.

Ellen öffnet die Tür und fragt: „Willst du wirklich nichts essen?"

„Nein. Wieso bist du überhaupt hier und nicht in der Uni?" Sie studiert Geschichte und Philosophie. Eigentlich ist Ellen ganz okay. Na ja, abgesehen davon, dass sie sich gelegentlich als Oberschlaumeierin aufspielt und dann endlose Sätze abspult, die sie wohl selbst nicht versteht.

„Das Seminar hat nicht stattgefunden, weil Professor Nienburg indisponiert war", erfahre ich von Ellen.

„Aha."

Wenn ich mich erkundigen würde, was indisponiert heißt, wäre jetzt eine Lateinstunde fällig. Darum tu ich lieber so, als hätte ich sie verstanden.

„Hast du denn gar keinen Appetit?", bohrt sie erneut nach. Ich schüttle den Kopf und werde endlich allein gelassen.

Nein, jetzt ist nicht futtern angesagt, sondern träumen. Mit offenen Augen. Von Adrian, meiner großen Liebe.

Ich stoße einen tiefen Seufzer aus und starre hinauf zur Decke. Für alle anderen ist sie undurchsichtig, aber für mich ist sie aus Glas. Ganz deutlich erkenne ich Adrians Bücherregale. Und das steinalte Sofa, das er wahrschein-

15

lich von seiner Urgroßmutter geerbt hat. Ich sehe auch den Schaukelstuhl vor mir, auf dem Adrian angeblich immer sitzt, wenn er liest. Irgendwie kann ich ihn mir gar nicht darin vorstellen. Lesen passt überhaupt nicht zu ihm. Er ist Fahrradkurier und sieht aus wie ein Popstar. Nein, tausendmal besser! Die meisten Popstars sehen reichlich dumm aus. So ähnlich wie Paviane, denen Mikros statt Bananen in die Hand gedrückt wurden.

Adrian ist soooo süß ... Eines Tages werde ich seine Freundin sein, jawohl! Das weiß ich ganz genau. Er ist zwar acht Jahre älter als ich, aber das spielt keine Rolle mehr, wenn ich siebzehn oder achtzehn bin. Dann werde ich ihm alle Liebesbriefe schicken, die ich bis dahin an ihn geschrieben habe. Ungefähr hundert Stück liegen schon in meiner Schreibtischschublade. Beim Lesen wird er dahinschmelzen wie Butter in der Sonne. Und anschließend wird er mich so lange küssen, dass mir die Luft wegbleibt.

„Verdammte Scheiße!"

Sophie stürmt ins Zimmer, geht zum Fenster und reißt es auf. Dann steckt sie sich eine Zigarette zwischen die Lippen und zündet sie an.

„Wieso bin ich nicht als Junge auf die Welt gekommen?", ärgert sie sich. „Diese ständige Bluterei finde ich zum Kotzen!"

„Können wir nicht über was anderes reden?", schlage ich vor. „Was macht denn dein Freund Yannick? Kommt er heute vorbei?"

„Nein, der hat schreckliche Probleme."

„Mit wem?", frage ich.

„Mit mir. Ich hab vorhin Schluss gemacht mit diesem Penner!"

Ich werfe meiner Schwester einen höchst erstaunten Blick zu. „Echt? Ich dachte, Yannick wäre deine ganz große Liebe."

„Das behaupte ich doch von jedem neuen Idioten, der mir über den Weg läuft", erklärt Sophie lachend und zieht an ihrer Zigarette. „Aber jetzt will ich erst mal nichts mehr wissen von Jungs. Die sind ja alle so – so –" Ihr fällt kein Wort dafür ein. „Ich hasse es, mit Jungs zu reden! Die kapieren einfach nie, was Sache ist. Drei Wochen lang war ich mit Yannick zusammen. Und was weiß der Arsch über mich? Dass ich Sophie heiße und kurze Haare habe. Diese hirnlosen Deppen wollen immer nur knutschen und fummeln."

„Willst du das nicht auch?"

„Na klar will ich das! Aber zwischendurch möchte ich auch mal 'n bisschen quatschen. Und zwar nicht nur über Hausaufgaben und Computerspiele."

„Sondern über CDs, Zigaretten und Make-up. Oder interessierst du dich noch für was anderes?"

„Blöde Kuh!", faucht Sophie und streckt mir die Zunge raus. „Du hast ja gar keine Ahnung, wovon ich rede. Warst du schon jemals in einen Jungen verknallt, hä?"

„Nein", gebe ich zu. Schließlich ist Adrian kein Knabe mit Pickeln und unmöglichen Manieren, sondern ein erwachsener Mann – auch wenn er sich manchmal wie ein kleiner Junge benimmt.

Auf Sophies Gesicht erscheint ein mitleidiges Grinsen. „Na also! Dann hast du keinen Schimmer, was Liebe ist!"

„Doch!", flüstere ich so leise, dass mein Schwesterherz mich nicht verstehen kann.

Und dann sehe ich wieder hinauf zu Adrians Schaukelstuhl ...

Am nächsten Tag wollen mich Muriel und Carlotta dazu überreden, mit ihnen zum Frauenarzt zu gehen.

„Was soll ich denn beim Arzt?", entgegne ich mürrisch. „Ich bin kerngesund!"

Muriel tippt sich an die Stirn. „Ach nee! Und was ist mit deiner Periode?"

„Hab ich gestern endlich gekriegt. Im Schlaf. Kurz nach Mitternacht."

Meine Freundinnen reißen die Augen auf.

„Und? War's schlimm?", fragt Carlotta.

„Ach was, das war total harmlos", antworte ich mit einem coolen Grinsen. „Zum Glück hab ich ja einen Schnorchel."

„Hä?"

„Mein Zimmer hat sich in einen richtigen Blutsee verwandelt", flunkere ich. „Ohne Schnorchel wäre ich darin ertrunken."

„Quatsch keinen Müll!", brummt Muriel.

19

„Wieso nicht? Du und Carlotta haben doch gestern Vormittag auch nichts anderes gemacht. Von Eiern will ich erst wieder was zu Ostern hören, kapiert? Übrigens platzt das Ding gar nicht in unserem Bauch, sondern es wird abgestoßen. Ich hab extra im Lexikon nachgeguckt."

Die beiden mustern mich verblüfft.

„Heißt das, du interessierst dich jetzt doch auch für die Periode?", fragt Carlotta.

„Nein, tu ich nicht!", verkünde ich mit Nachdruck. „Aber euer Geschwätz hat mich ein bisschen nervös gemacht."

Das stimmt tatsächlich. Gestern beim Abendbrot hab ich sogar ausführlich mit meinen Schwestern über das Thema gesprochen. Sophie hatte schon mit zwölf ihre erste Periode, Ellen mit dreizehneinhalb. Ich werde in ein paar Monaten fünfzehn. Bisher hab ich mir noch nie Gedanken darüber gemacht, wann ich zum ersten Mal meine Tage kriege. Doch nun bin ich doch ein wenig ins Grübeln gekommen, ob mit mir alles in Ordnung ist.

„Kommst du wirklich nicht mit zum Frauenarzt?", fragt Muriel.

Ich schüttle energisch den Kopf und sage laut und deutlich: „Nein!"

Das hält meine Freundinnen in den großen Pausen allerdings nicht davon ab, mir diese Frage immer wieder zu stellen, obwohl meine Antwort stets die gleiche bleibt. Meine Güte, sind die beiden etwa taub? Dann sollten sie lieber zum Ohrenarzt gehen.

Nach der letzten Stunde verschwinde ich im Eiltempo aus dem Klassenzimmer.

„Hey, warte auf uns!", ruft Carlotta hinter mir her.

„Keine Zeit!"

Ich schalte noch einen Gang höher. Schnell weg hier, ehe ich noch einmal mit dem dämlichen Frauenarzt genervt werden kann!

„Bleib stehen!", höre ich Muriel schreien, als ich durchs Treppenhaus flitze. „Warum willst du denn ohne uns gehen?"

Warum wohl? Weil ich mich so wahnsinnig gern über Blut, Binden und Gynäkologenstühle unterhalte, grrr!

Vor dem Schultor sehe ich die blonde Alicia in das Auto ihres Vaters steigen, der sie fast jeden Tag nach Hause fährt.

Mein Vater hat nur ein einziges Mal vor der Schule auf mich gewartet. Damals war ich erst seit drei Wochen auf dem Gymnasium und fand es irgendwie total kindisch, von meinem Vater abgeholt zu werden. Darum wechselte ich schnell die Straßenseite, als ich ihn entdeckte, und verbarg mich solange hinter einer Litfaßsäule, bis er schließlich nach zehn Minuten wieder verschwand.

So was Peinliches wird mir zum Glück nie mehr passieren, weil es meinen Vater nicht mehr gibt. Nein, er ist nicht gestorben. Besonders lebendig ist er allerdings auch nicht mehr, jedenfalls nicht für mich, meine Mutter und meine Geschwister. Eigentlich lebt er für uns nur noch in gelegentlichen E-Mails, noch gelegentlicheren Anrufen und äußerst seltenen Kurzbesuchen.

Vor ein paar Monaten ist er von Düsseldorf nach München gezogen. Der Grund dafür heißt Gabi, ist ungefähr zwanzig Jahre jünger als meine Mutter und hat die gleiche Stimme wie ein Papagei. Wahrscheinlich hat so einer ihr auch das Sprechen beigebracht. Mehr als zwei Sätze hab ich bis jetzt am Telefon noch nie von ihr gehört: Möchtest du deinen Vater sprechen? und Für dich, Liebling!

Ist es nicht schon ewig lange her, seit ich zum letzten Mal mit meinem Vater geredet habe? Vielleicht weiß er gar nicht mehr, dass es mich gibt. Er ist ziemlich vergesslich und muss deshalb ab und zu an seine Tochter Rebekka erinnert werden.

Kurz entschlossen steuere ich auf die nächste Telefonzelle zu. Die Nummer von Vaters Büro kenne ich auswendig, obwohl ich erst einmal dort angerufen habe.

„Schwabach!", meldet er sich am anderen Ende der Leitung.

„Hallo, Paps! Hier ist Rebekka."

„Rebekka?"

„Ja, eine von deinen Töchtern. Insgesamt hast du drei davon: Ellen, Sophie und mich. Ich bin die jüngste von ihnen. Na, ist der Groschen gefallen? Oder muss ich dir erst ein Foto von mir schicken?"

Mein Vater lacht. „Glaubst du im Ernst, ich könnte dich jemals vergessen?"

„Hast du das nicht schon längst?", frage ich zurück. „Oder wieso meldest du dich nicht mehr bei mir?"

„Hör zu, mein Schatz, in den letzten Wochen hatte ich unheimlich viel Stress in der Firma. Du weißt doch, wenn man einen neuen Job angefangen hat, dann muss man so richtig reinklotzen und –"

„Blablablablabla!"

Wieder lacht mein Vater, diesmal jedoch reichlich verlegen.

„Wieso rufst du denn überhaupt an?", will er dann wissen.

„Bestimmt nicht, um dir was über die Schule zu erzählen."

„Was macht die Schule?", erkundigt er sich trotzdem gnadenlos.

„Blablablablabla!"

„Hör auf damit!"

Endlich klingt mein Vater so wie früher: gereizt und ungeduldig. So mag ich ihn viel lieber! Seit seinem Abgang ist er immer wahnsinnig nett zu mir, wenn er mir mailt oder mit mir telefoniert. Klar, er hat ein schlechtes Gewissen, weil er uns wegen seiner Gabi sitzen gelassen hat, und schleimt deshalb ständig rum. Aber irgendwie passt das gar nicht zu ihm.

„Worüber willst du denn sonst mit mir reden, Rebekka?"

„Sag noch mal Rebekka", bitte ich ihn.

„Rebekka."

„Noch drei Mal!"

„Was soll der Blödsinn?"

„Mach schon, sonst fang ich an zu heulen."

Mein Vater stößt einen Seufzer aus, ehe er gelangweilt meinen Namen wiederholt: „Rebekka. Rebekka. Rebekka. Rebekka. Rebekka. Reicht das?"

„Ja, danke! Tschüs!"

Ich lege schnell auf und atme tief durch. Dann beiße ich mir so fest in den linken Unterarm, dass mir vor Schmerz die Tränen in die Augen schießen.

Weil ich es nicht besonders eilig habe nach Hause zu kommen, setze ich den Weg im Zeitlupentempo fort. Zu dumm, dass ich dabei ununterbrochen an meinen Vater denken muss! Ich sehe ihn vor mir, wie er mit mir zusammen den Weihnachtsbaum schmückt und mich dabei mit Lametta überhäuft. Und wie er mir Radfahren beibringen will und selbst vom Sattel kippt. Und wie wir uns im Urlaub in Schweden auf einer Wanderung total verlaufen haben.

Mein Gott, warum streiche ich diesen Blödmann nicht endlich aus meinem Hirn? Er hat's doch gar nicht verdient, dass er mir so oft im Hinterkopf herumspukt. Wetten, dass ich ihm mittlerweile nicht mal halb so wichtig bin wie Gabis Fußnägel?

„Aua!"

Ein Junge steht vor mir und fasst sich mit schmerzverzerrter Miene an seine rechte Augenbraue.

„Bist du blind?", faucht er mich an. „Das war ja 'n richtiger Kopfstoß, was du mir da gerade verpasst hast!"

25

„Echt?"

Anscheinend war ich so sehr in Gedanken versunken, dass ich den Typen gar nicht bemerkt habe.

„Tut mir Leid", entschuldige ich mich. „Ich hab geträumt."

„Von Catchen und Wrestling?" Der Junge schüttelt den Kopf. „Bist du immer so hart drauf?"

„Wenn's sein muss ..."

Er nimmt die Hand von der Braue und grinst mich an. Erst jetzt fällt mir auf, dass er nicht gerade hässlich ist. Wow, der Knabe könnte glatt in einer Boygroup mitmachen! Oder in einer Werbung für Duschgel. Das Einzige, was mir nicht an ihm gefällt, ist seine Frisur: halblange schwarze Haare, in die er sich mindestens drei Kilo Pomade geschmiert hat, und ein Mittelscheitel.

„Du bist baff, weil ich so toll aussehe, stimmt's?", fragt mich der Spinner und stemmt dabei seine Hände in die Hüften.

„Nein, ich bin baff, dass du nicht wie 'ne Kokosnuss aussiehst, obwohl du meilenweit danach riechst."

„Das ist das Zeug in meinen Haaren", erklärt er. „Und es riecht nicht, sondern es duftet."

Der Angeber streckt die rechte Hand aus. „Ich heiße Luca."

„Schön für dich."

„Und du?"

„Ich? Ich muss jetzt nach Hause. Tschüs!"

Nachdem ich dem Jungen zugenickt habe, stapfe ich davon. Doch nur wenige Meter weiter hat mich der Trottel eingeholt. Er geht neben mir her und starrt mich ununterbrochen an. Was soll der Quatsch?

Als wir am nächsten Zebrastreifen bei Rot stehen bleiben müssen, platzt mir der Kragen.

„Warum glotzt du so dämlich?", rege ich mich auf.

„Weil du so schön bist."

„Hä?"

Ich spüre, wie mir das Blut in den Kopf schießt. Was hat dieser Idiot da soeben behauptet? Ich und schön? Mit meiner grauenhaften Kartoffelnase könnte ich höchstens als einer von den sieben Zwergen auftreten! Jedes Mal, wenn ich das hässliche Ding im Spiegel sehe, würde ich ihn am liebsten zerkratzen.

Inzwischen haben wir uns wieder in Gang gesetzt. Warum weicht mir dieser Luca nicht von der Seite?

„Hey, das hab ich ernst gemeint!", fängt er nach ein paar Metern wieder an. „Ich hab's nicht nötig, irgendwelche Komplimente zu verteilen. Auch ohne Gesülze werde ich nur so belagert von Mädels. Glaub mir, unbekannte Prinzessin: Du bist wirklich schön!"

„Hast du was an den Augen?"

Er lacht. „Kann sein. Ich bin nämlich vor zwei Minuten mit einem furchtbaren Dickschädel zusammengestoßen. Na, was ist? Sollen wir noch mal anfangen?"

„Womit?"

Er streckt die Hand aus. „Ich heiße Luca."

„Und ich muss immer noch nach Hause."

„Na und? Du kannst mir doch trotzdem verraten, wie du heißt. Und deine Telefonnummer möchte ich auch ganz gerne wissen."

„Wozu?"

Da bleibt der Kerl plötzlich stehen und packt mich am Arm. Der Blick, mit dem er mich durchbohrt, macht mir irgendwie Angst. Ich reiße mich von ihm los.

„Lass deine Drecksfinger von mir, kapiert?", zische ich wütend. „Mit so einem eingebildeten Affen wie dir möchte ich nichts zu tun haben."

„Ich mag dich."

Wie war das? Ich muss da was falsch verstanden haben, weil er den letzten Satz nur gehaucht hat.

„Äh – was hast du gesagt?"

„Ich mag dich", wiederholt er, diesmal etwas lauter.

Ich bin so verdattert, dass mir die Worte fehlen – allerdings

nur zehn Sekunden lang. Dann zeige ich dem Knaben einen Vogel und brumme: „Red keinen Schwachsinn! Du kennst mich doch gar nicht."

„Macht nichts. Ich mag dich. Basta! Und daran, dass ich dich eigentlich gar nicht kenne, werde ich schleunigst was ändern. Wir treffen uns morgen nach der Schule, okay? Wann hast du aus? Und auf welche Schule gehst du überhaupt?"

Jetzt verschlägt's mir wirklich die Sprache. Was bildet sich der Typ ein? Quatscht mich auf der Straße an und glaubt, dass ich nichts Besseres zu tun habe, als mich mit ihm zu verabreden!

„Hast du Probleme mit meinem Selbstbewusstsein?", fragt mich da der Spinner allen Ernstes. „Sorry, ich bin halt nicht ganz so schüchtern wie andere Jungs. Das liegt bestimmt an meinem Aussehen. Ich möchte übrigens Model werden. Aber das hast du dir bestimmt schon gedacht, oder?"

Nicht zu fassen! So habe ich noch nie jemanden über sich selbst reden gehört. Das nennt er Selbstbewusstsein? Das ist der reinste Größenwahn! Dieses Großmaul braucht keine Freundin, sondern einen Psychiater.

„Letzten Monat wurde ich sogar auf einer Party von einem Fotografen angesprochen", fährt er fort. „Der hat mich in sein Studio eingeladen und wollte Fotos von mir machen.

29

Leider stellte sich raus, dass er nur an Nacktfotos interessiert war. Aber so was mach ich nicht mit."

„Wieso nicht? Weil du Warzen am Hintern hast?"

„Warzen? Ich?" Er guckt mich so empört an, als hätte ich ihn gerade zu Tode beleidigt. „Ich hab den schönsten Hintern von ganz Düsseldorf. Hier, ich zeig ihn dir!"

O nein! Der Irre nestelt tatsächlich an seinem Gürtel herum. Höchste Zeit für einen schnellen Abgang!

„Viel Spaß noch mit deinem Po! Ich muss jetzt weg! Ciao!"

Und damit drehe ich mich um und eile davon. Eigentlich rechne ich damit, dass der Schönling mich verfolgt, doch das erweist sich als Irrtum. Als ich mich etwa hundert Meter weiter nach ihm umdrehe, ist nichts mehr von ihm zu sehen.

Ich ertappe mich dabei, dass ich über beide Backen grinse. Was ich da eben erlebt habe, ist einfach zu komisch! Werden mir Carlotta und Muriel auch nur ein Wort davon glauben, wenn ich es ihnen erzähle? Aber vermutlich verrate ich meinen Freundinnen sowieso nichts davon. Wirklich wichtige Sachen behalte ich nämlich lieber ganz für mich. Fragt sich nur, wie wichtig die Begegnung mit Luca für mich war. Irgendwie war sie spannend, lustig und peinlich zugleich.

Auf dem restlichen Weg nach Hause zerbreche ich mir

natürlich den Kopf über alles, was Luca zu mir gesagt hat.

Er mag mich ...

Wie kann er sich trauen, so was auszusprechen, obwohl ich eine völlig Fremde für ihn bin? Adrian liebe ich nun schon seit Jahren. Und trotzdem würde ich mir eher die Zunge abbeißen, als ihm gegenüber auch nur anzudeuten, was ich für ihn empfinde.

Obwohl – was ist eigentlich so schlimm daran, offen zu sein? Luca ist ja auch nicht daran gestorben. Er hat mir gesagt, dass er mich mag. Und ich hab ihm durch meine Reaktion klargemacht, dass er mir völlig schnuppe ist.

Wenn ich Adrian verraten würde, dass ich ihn liebe, würde ich endlich dahinter kommen, ob ich ihm ebenfalls irgendwas bedeute.

Aber möchte ich das überhaupt wissen?

Ja.

Nein.

Ja.

Nein.

Ich will gerade den Schlüssel in unsere Haustür stecken, als Adrian sie schwungvoll aufreißt. Er trägt sein Fahrrad auf der Schulter, was allerdings keine große Leistung ist. Das Ding ist nur halb so schwer wie meine Schultasche.

„Hallo!"

Jedes Mal, wenn er mich angrinst, läuft mir ein Schauer über den Rücken. Wenn Adrian wüsste, wie oft ich schon von seinen Grübchen geträumt habe! Nicht mal mein Vater verfolgt mich so häufig im Schlaf.

„Hallo!", entgegne ich zaghaft und beobachte Adrian dabei, wie er sein Rad abstellt und auf den Sattel steigt.

Soll ich ihm sagen, wie sehr ich ihn liebe?

NEIN!

JA!

Adrian grinst mich schon wieder an. Warum fährt er nicht los? Fahrradkuriere verdienen ihr Geld nicht damit, dass sie vor Haustüren rumlungern und Mädchen mit Knubbelnasen anstarren.

„Ist irgendwas?", fragt mich Adrian.

„Wieso?", frage ich zurück. Wenn meine Jeans durchsichtig wäre, könnte Adrian meine Knie beim Zittern beobachten. Muss ich denn immer so verdammt nervös sein, wenn er mir über den Weg läuft? Das ist doch einfach lächerlich! Wenn ich ein für allemal wüsste, dass ich Adrian so egal bin wie sein zerbeulter Briefkasten, dann würde ich mich bei seinem Anblick nicht mehr in eine Vollidiotin verwandeln. Wäre das nicht eine riesige Erleichterung für mich?

Ja.

Nein!

„Du siehst so aus, als wolltest du mich was fragen", bohrt Adrian unerbittlich weiter.

„Seh ich echt so aus?", erwidere ich dämlicherweise.

„Willst du mich was fragen, ja oder nein?"

Ja oder nein – genau das frage ich mich doch auch!

„Nein", sage ich schnell und mache zwei Schritte in den Hausflur. Doch dann kehre ich noch schneller zurück und sage: „Ja, ich wollte dich was fragen."

„Was denn?"

„Kann ich dir mal dabei zugucken, wie du in deinem Schaukelstuhl sitzt und ein Buch liest?"

„Äh" – Adrian kratzt sich am Kinn. „Wie war das?"

„Vergiss es!"

Wie eine Rakete rase ich die Treppe zu unserer Wohnung hinauf. Mein Herz klopft wie verrückt.

Eine Minute später liege ich auf meinem Bett, den Kopf unterm Kissen vergraben, und will mir zum zweiten Mal an diesem Tag in den Arm beißen. Doch kaum haben sich meine Zähne in das Fleisch gebohrt, fällt mir Lucas Hintern ein. Vor Lachen kommen mir die Tränen.

Nein, am Tag darauf erfahren Carlotta und Muriel von mir kein Sterbenswörtchen über Luca. Auch sonst reden wir kaum miteinander. Die beiden nerven mich nämlich wieder mit dem Periodenblödsinn. Sie waren tatsächlich gestern beim Frauenarzt – zumindest im Wartezimmer. Doch als Muriels Name aufgerufen wurde, flüchteten meine Freundinnen voller Panik aus der Praxis.

In der Deutschstunde bittet mich Frau Dietl, eine Erzählung von Theodor Storm vorzulesen. Obwohl ich den Text gar nicht kenne, steigere ich mich immer mehr in ihn hinein. Der Rest der Klasse ist mucksmäuschenstill bei meiner Vorstellung. Nach dem letzten Satz gibt es sogar Applaus. Ich stehe auf, bedanke mich mit einem verlegenen Knicks und tue so, als wäre mir der Beifall schrecklich peinlich. In Wirklichkeit bin ich enttäuscht darüber, dass er nicht stürmischer ausgefallen ist.

Vor lauter Begeisterung umarmt mich Frau Dietl.

34 „Hast du eigentlich eine Ahnung, wie begabt du bist, Re-

bekka?", schwärmt unsere Lehrerin. „Du musst unbedingt Schauspielerin werden! Ich verstehe nicht, warum du deine Zeit mit diesem Werbeschrott verschwendest."

„Weil ich einen Haufen Geld damit verdiene", antworte ich. „Außerdem ist es ganz lustig, seine eigene Stimme im Radio und Fernsehen zu hören."

„Dann mach doch wenigstens in unserer Theater-AG mit", schlägt Frau Dietl mir zum hundertsten Mal vor. „Du würdest in jedem Stück die Hauptrolle spielen. Keins der anderen Mitglieder kann dir das Wasser reichen."

Genau darum will ich auch nichts mit der Theater-AG zu tun haben. Die letzte Aufführung war so katastrophal, dass ich mir nur den ersten Akt antun konnte und dann geflohen bin. Am miesesten spielte Britta Steiner, ein Mädel aus der Oberstufe, das sich für Meryl Streep persönlich hält.

„Für die AG hab ich leider keine Zeit", erkläre ich Frau Dietl.

„Schade. Aber vielleicht ändert sich das ja mal."

Nicht, so lange ich auf dieser Schule bin ...

Muriel und Carlotta halten mich diesmal nicht auf, als ich nach dem letzten Gong ohne sie aus dem Klassenzimmer verschwinde. Wahrscheinlich sind sie heilfroh darüber, dass sie auf dem Nachhauseweg ungestört über ihr blutiges Lieblingsthema quatschen können.

Unterwegs halte ich nach Luca Ausschau, doch der lässt sich nicht blicken. Soll ich froh oder traurig darüber sein? Vermutlich hat er mich schon längst aus seinem Gedächtnis gestrichen. Ist ja auch kein Wunder! Hätte ich ihm nicht wenigstens meinen Namen verraten sollen?

Ach, was soll's! Der Schwätzer wollte mich bloß voll sülzen, weil er sonst nichts anderes zu tun hatte. Nur Lügen hat er mir aufgetischt, sonst nichts.

Oder warum sollte er jemanden mögen, der ihm einen Kopfstoß verpasst und ihn dann eiskalt abblitzen lässt? Und dieser Schwachsinn über mein tolles Aussehen! Ist ihm meine gigantische Kartoffelnase wirklich nicht aufgefallen? Dann sollte sich der Knabe dringend 'ne Brille zulegen.

Wieso verschwende ich überhaupt noch einen Gedanken an diesen Spinner? Ich liebe doch Adrian!

Von dem ist zum Glück nichts zu sehen, als ich in unserem Haus die Treppe hinaufgehe. Dieser Mist mit dem Schaukelstuhl gestern war ja wohl total hirnverbrannt! Jetzt hält er mich garantiert für eine Irre. Okay, das bin ich ja auch, sobald er in meiner Nähe aufkreuzt.

Kaum habe ich die Wohnungstür hinter mir geschlossen, reiße ich erstaunt die Augen auf. In der Diele stehen drei Koffer und eine Reisetasche.

„Fährt jemand in Urlaub?", rufe ich verdattert aus, worauf
Ludwig mit einem Glas Milch in der Hand aus der Küche
kommt. Mutters Freund (den sie sich bereits drei Monate
nach Vaters Abgang zugelegt hat) trägt ein kurzärmeliges,
weißes Hemd und eine seiner scheußlichen Krawatten: eine giftgrüne mit drei violetten Kängurus drauf, die Nach-
laufen spielen.

„Grüß dich, Rebekka!"

Er lächelt mich freundlich an – weitaus freundlicher, als
ich es ertragen kann. So ein breites Grinsen hab ich noch
nie gesehen, nicht mal in einem Comic.

„Warum stehen denn die Koffer hier rum? Wollen Sie mit
Mutter verreisen?"

„Wie oft hab ich dir nun schon das Du angeboten?" Seine
Gegenfrage klingt kein bisschen vorwurfsvoll.

„Bisher jedes Mal, wenn wir uns gesehen haben."

„Und wann gedenkst du, mit dem Siezen aufzuhören?"

Wenn Sie damit aufhören, so grauenvoll nett zu mir zu
sein!, würde ich am liebsten antworten, aber daraufhin
würde Ludwig mich bestimmt noch freundlicher anlächeln
und mir versichern, dass er schwierige Kids wie mich sehr
gut versteht. Er ist Lehrer an einer Schule für Behinderte.
Wenn ich eine seiner Schülerinnen wäre, würde ich ihn
echt mögen. Aber ich bin Rebekka Schwabach, und die

mag niemanden außer sich selbst. (Jedenfalls redet sie sich das ganz gerne ein …)

„Also, wohin geht denn die Reise?", erkundige ich mich, ohne auf Ludwigs letzte Frage einzugehen.

„Nirgendwohin", antwortet er. „Ich bin angekommen. Vorerst jedenfalls", fügt er augenzwinkernd hinzu.

„Hä?"

„Hat euch eure Mutter denn nicht erzählt, dass ich bei euch einziehe?"

„Ach du Scheiße!" Ich lasse meine Schultasche fallen. „Sie wollen bei uns wohnen?"

„Nur probehalber", erklärt er und trinkt einen Schluck Milch. Das heißt, er tunkt seinen mächtigen Schnäuzer in die Milch und leckt ihn dann mit der Zunge wieder sauber. Wow, sehr appetitlich! Muss ich mir dieses Kunststück jetzt bei jeder Mahlzeit anschauen?

„Hat euch Luise tatsächlich nichts davon gesagt, dass ich für ein paar Wochen mein Leben mit euch teilen werde?"

„Ich teile mein Leben mit niemandem, kapiert?"

Sofort gibt Ludwig klein bei. „Entschuldige, Rebekka! Diese Formulierung war etwas unglücklich gewählt. Ich habe natürlich keineswegs die Absicht, dir auf die Nerven zu gehen."

„So? Dann sollten Sie sich schleunigst neue Krawatten und einen Rasierapparat anschaffen."

Nach diesen Worten verschwinde ich in mein Zimmer und knalle die Tür hinter mir zu.

O nein: Mister Supernett zieht bei uns ein! Der hat mir gerade noch gefehlt. Ob sich Sophie genauso darüber aufregen wird wie ich? Wohl kaum! Ihr ist so ziemlich alles egal, was nicht direkt mit ihr selbst zu tun hat. So lange Ludwig sie in Ruhe lässt, ist ihr völlig schnuppe, ob er in Mutters Bett pennt oder nicht.

In Mutters Bett ...

Ich stelle mir vor, wie Ludwig auf ihr liegt und ihr Gesicht unter seinem Schnäuzer vergräbt, bis sie keine Luft mehr bekommt. Oder spickt er ihn vorher mit ein paar Weinbrandbohnen, damit Mutter beim Schmusen was zu naschen hat?

Ich lasse mich aufs Bett fallen und starre hinauf in Adrians Zimmer.

„Lass dir niemals einen Schnäuzer stehen", warne ich ihn leise. „Sonst küsse ich dich überallhin, nur nicht auf den Mund."

An diesem Abend haben Sophie und ich endlich mal wieder eins unserer berühmten Kurz-vorm-Einschlafen-Gespräche. Dabei darf nicht gelogen werden. Und nichts von dem, was wir uns bei diesen Gesprächen anvertrauen, darf tagsüber erwähnt werden.

Sophie: Wann kriegst du endlich deine ersten Pickel?
Ich: Wieso?
Sophie: Ich hasse deine reine Haut! So hab ich auch mal ausgesehen. Aber dann hab ich mit dem ganzen Scheiß angefangen: Rauchen, Saufen, Schminken, Haarfärben. Das ist alles Gift für meine Haut.
Ich: Dann hör doch wieder auf mit dem Scheiß.
Sophie: Und wo soll der Fun herkommen, du Schlaubergerin? Schließlich sind ja nicht alle so krank wie du.
Ich: Wieso krank?
Sophie: Du bist so scheißvernünftig! Das ist 'ne grausame Krankheit, weißt du das? Aber irgendwann wirst du garantiert

40

davon geheilt. Bei dir dauert's halt nur etwas länger. Als ich vierzehn war –

Ich: Jaja, ich weiß: Da warst du jeden Tag besoffen und hast die
ganze Wohnung voll gekotzt. Tolle Leistung!

Sophie: Arschloch!

Ich: Sag mir lieber, was du von Ludwig hältst. Der Penner wohnt
jetzt bei uns.

Sophie: Na und?

Ich: Möchte mal wissen, ob Paps sich darüber ärgern wird.

Sophie: Warum sollte er? Der Idiot hat doch seine rothaarige
Ziege.

Ich: Ich ruf ihn morgen an und sag ihm, dass Ludwig –

Sophie: Das weiß er schon längst.

Ich: Von wem?

Sophie: Von mir. Nach dem Abendessen hab ich's ihm erzählt.

Ich: Hä? Du wolltest doch nie mehr ein Wort mit ihm reden.

Sophie: –

Ich: Hast du jedenfalls großartig verkündet.

Sophie: Fragt er denn manchmal nach mir, wenn du mit ihm telefonierst?

Ich: Ja.

Sophie: Wir liegen im Bett, das Licht ist aus und wir dürfen
nicht lügen. Also noch mal: Fragt er manchmal nach mir, wenn
du mit ihm telefonierst?

41

Ich: Nein.

Sophie: Warum sollte ich dann mit ihm reden?

Ich: Aber du hast ihn doch nach dem Essen angerufen.

Sophie: Hab ich nicht.

Ich: Wir liegen im Bett, das Licht ist aus und wir dürfen nicht lügen. Warum tust du es trotzdem?

Sophie: Halt's Maul!

Ich: Was ist los mit dir?

Sophie: –

Ich: Ich hab dich was gefragt. Du kennst die Spielregeln. Wenn du nicht mehr mit mir reden willst, dann sag gute Nacht.

Sophie: Du sollst dein Maul halten!

Ich: Bist du wieder verliebt?

Sophie: Dumme Kuh!

Ich: Gestern wollte mir ein Junge seinen Hintern zeigen. Glaub mir: Der Typ sah aus wie ein Model! Und er fand mich schön und hat behauptet, dass er mich mag.

Sophie: Träumst du schon?

Ich: Er heißt Luca.

Sophie: Hey, du hast gesoffen. Gib's zu!

Ich: Quatsch!

Sophie: Soll ich dir mal verraten, wo Mutti ihren Cognac versteckt?

Ich: Welchen Cognac?

Sophie: Den sie heimlich säuft, wenn sie mal nicht so gut drauf ist. Also jeden Tag.

Ich: Was soll der Schwachsinn?

Sophie: In ihrem Kleiderschrank. Unten links hinter den Wanderschuhen.

Ich: Und wo liegt die Spritze und das Heroin?

Sophie: Wenn Ellen auszieht, bekomme ich endlich ein eigenes Zimmer.

Ich: Ich auch.

Sophie: Dann müssen wir nicht mehr diese dämlichen Gespräche führen, wenn wir todmüde sind.

Ich: Darauf freust du dich schon?

Sophie: Du nicht?

Ich: Gute Nacht!

Sophie: Du nicht?

Ich: Nein.

Sophie: Gute Nacht!

Ich: –

Sophie: Ich auch nicht.

Ich: Gute Nacht!

7.
Kapitel

„Komm, vertragen wir uns wieder, Rebekka!"

Muriel hört sich richtig traurig an, als sie mich am nächsten Tag gegen halb vier anruft.

„Wieso vertragen?", frage ich. „Wir haben wir uns doch gar nicht gestritten. Ihr habt mich nur angeödet, sonst nichts. Oder wisst ihr etwa nicht, wieso ich dir und Carlotta in den letzten Tagen aus dem Weg gegangen bin?"

„Doch, wegen unserem Periodenkäse."

„Was? Da kommt Käse raus, wenn man seine Tage kriegt?"

Das war zwar nicht sehr witzig, aber Muriel lacht trotzdem. Dann gibt sie den Hörer an Carlotta weiter, damit ich den letzten Satz noch einmal wiederhole. Doch das ist mir zu blöd.

Stattdessen will ich von Carlotta wissen, wieso Muriel angerufen hat.

„Weil wir uns ab sofort nicht mehr von diesem ganzen Blutkram verrückt machen lassen", verkündet sie. „Das ist uns

44 zu langweilig geworden. Wenn diese verdammten Tage

kommen, dann kommen sie eben. Und wenn sie nicht kommen wollen, dann sollen sie es eben bleiben lassen. Wir werden bestimmt auch ohne Periode noch oft genug bluten im Leben."

„Ach!"

„Hast du Lust auf ein Eis? Muriel lädt uns ein. Sie war gerade bei ihrem Opa im Heim, und der hat ihr einen Zwanziger in die Hand gedrückt."

„Hey, heute ist Freitag!", wundere ich mich. „Muriel besucht ihren Opa doch sonst nur am Wochenende. Was wollte sie denn heute im Heim?"

„Einen Zwanziger, was sonst? Also, treffen wir uns in einer Viertelstunde an der Haltestelle?"

„Okay. Bis gleich!"

Auf dem Weg in mein Zimmer kommt mir Ludwig entgegen, der gerade auf der Toilette gewesen ist. Seine blaue Krawatte ist bevölkert von Dutzenden gelber Ameisen. Mit so einem grässlichen Teil um den Hals würde ich mich nie im Leben aus dem Haus trauen.

„Alles in Ordnung?", erkundigt er sich mit besorgter Miene.

„Wieso?"

„Du kommst mir reichlich nervös vor."

„Dafür gibt's auch einen Grund", gestehe ich.   **45**

„Welchen denn?"

„Ich bin nervös!"

„Möchtest du darüber reden?"

„Ja, aber nur mit meinem Kopfkissen."

Und damit lasse ich ihn stehen und verschwinde in mein Zimmer.

Schuld an meiner Nervosität ist Sven Breuer, der kurz vor Muriel angerufen hat. Er arbeitet für eine Werbeagentur, die mich und meine Stimme schon öfter für TV-Spots gebucht hat. Ein Freund von ihm macht das Casting für einen Fernsehfilm, und Sven Breuer hat ihm von mir erzählt.

„Er sucht ein Mädel in deinem Alter für die Hauptrolle", sagte Sven. „Geh doch mal hin, vielleicht wirst du ja genommen."

„Bei so einem Casting hab ich noch nie mitgemacht", gestand ich ihm. „Außerdem bin ich doch gar keine richtige Schauspielerin."

„Das ist niemand mit vierzehn", versuchte mich Sven zu beruhigen. „Du bist irrsinnig begabt, Rebekka! Tu nicht so, als ob du das nicht selbst genau wüsstest."

Ich musste lachen. „Einverstanden, ich geh hin. Aber wahrscheinlich wird dann was ganz Schreckliches passieren."

„Was denn?"

46 „Ich bekomme die Rolle, spiele sie total super, werde nur so überschüttet mit Lob, bekomme ein Angebot aus Hollywood und werde ein so großer Star, dass ich keine saublöden Werbespots mehr sprechen muss."

Jetzt fing Sven an zu lachen. „Ich wünsch dir viel Glück dabei! Schick mir mal 'n Foto von deiner Riesenvilla in Bel Air, okay?"

Was meine Freundinnen wohl dazu sagen werden, dass mein Kartoffelzinken und ich vielleicht demnächst den Bildschirm unsicher machen werden? Ich hatte zwar schon mal einen kurzen Auftritt in einer Soap, aber die Hauptrolle in einem richtigen Film wäre echt der Hammer!

Am liebsten würde ich sofort mit der großen Neuigkeit rausplatzen, nachdem ich Muriel und Carlotta an der Haltestelle begrüßt habe. Doch die beiden lassen mich gar nicht zu Wort kommen. Eben sind ihnen nämlich Jakob und Ibrahim, zwei Jungs aus unserer Klasse, über den Weg gelaufen.

„Stell dir vor, Rebekka: Die haben Muriel und mich zu einer Party eingeladen!", berichtet Carlotta mit leuchtenden Augen. „Nur uns zwei! Und außer uns kommen bloß noch Jakob und Ibrahim. Eine Party zu viert! Weißt du, was das bedeutet?"

„Dass sie nicht so viel Geld für Cola und Knabberzeug ausgeben müssen", erwidere ich trocken.

47

„Quatsch!", brummt Muriel. „Das bedeutet, dass die beiden in uns verknallt sind."

„Und darüber freut ihr euch?"

Die beiden schauen sich an und fangen an zu kichern.

„Na klar!", gluckst Muriel. „Sie sind doch die nettesten Jungs aus unsrer Klasse. Und hässlich sind sie auch nicht gerade, oder?"

Wir steigen in die Straßenbahn, die soeben gehalten hat. Muriel und ich lassen uns auf den einzigen freien Plätzen nieder. Carlotta setzt sich auf meinen Schoß.

„Stell dir vor, ich wäre Ibrahim", fordere ich sie lächelnd auf und umschlinge ihre schmalen Hüften. „Was würdest du jetzt tun, wenn er dich fragt, ob du ihn küssen willst?"

„Meine Zahnspange rausnehmen und die Lippen spitzen."

„Falsch! Du fragst ihn, wann er sich zuletzt die Zähne geputzt hat. Wahrscheinlich wird er sagen: Heute Morgen. Trotzdem lässt du dir sein Gebiss zeigen. Wetten, dass du dort noch Pizzareste von vor einer Woche entdeckst?"

„Du hast 'nen Knall!", regt sich Carlotta auf und rutscht von meinem Schoß. „Ibrahim putzt sich öfter die Zähne als du. Bist du sauer, weil dich die beiden nicht auf die Party eingeladen haben?"

Ich winke ab. „Danke, mit kleinen Jungs gebe ich mich sowieso nicht ab!"

„Stimmt, du hast ja deinen Adrian!", stichelt Muriel. „Was für ein Jammer, dass er so gar nix von dir wissen will. Also ich will lieber was mit echten Jungs zu tun haben statt mit Traumprinzen, die sich einen Scheißdreck um mich kümmern!"

Ich tue Muriel nicht den Gefallen, mich über ihren Ausraster aufzuregen. Allerdings schwöre ich mir, ihr und Carlotta nie mehr im Leben auch nur das Geringste über Adrian zu erzählen. Und von der Sache mit Luca kriegen die beiden erst recht nichts zu hören.

„Tut mir Leid!" Muriel drückt mir einen Schmatzer auf die Backe. „So was Gemeines wollte ich gar nicht sagen. Ich bin ein bisschen durcheinander wegen meinem Opa. Der sieht aus wie 'ne Leiche und redet nur noch wirres Zeug. Und wie er sich bewegt – noch langsamer als in Zeitlupe. Ich schwör's euch: Für den Weg vom Tisch bis zum Fenster hat er fast 'ne halbe Stunde gebraucht. Es hat mich fast wahnsinnig gemacht, ihn dabei zu beobachten! Ich hab mir sogar gewünscht, dass er unterwegs umkippt, damit ich ihm nicht eine Ewigkeit lang zugucken musste. War das sehr gemein von mir?"

Zehn Minuten später sind wir in der Altstadt und steuern auf das erstbeste Eiscafé zu.

„Draußen oder drinnen?", fragt Carlotta.

Es ist zwar sehr warm für Anfang Mai, aber am Himmel sind gerade ein paar dunkle Wolken aufgetaucht.

„Draußen", entscheidet Muriel. „Wenn's anfängt zu gießen, können wir ja immer noch reingehen, einverstanden?"

Wir setzen uns an einen Tisch in der Nähe des Eingangs und beugen uns über die Karte. Sobald wir unsere Bestellung aufgegeben haben, will ich den beiden endlich vom Casting und der Hauptrolle erzählen.

„Und? Haben die Signorinas schon gewählt?"

O mein Gott! Der Kellner, der vor uns steht, ist niemand anderer als Luca. Kaum hat er mich erkannt, hält er beide Hände an seinen Kopf und wimmert: „Nein, nicht schon wieder! Bitte keine Kopfnuss! Ich werde auch nie wieder versuchen, dir meinen Hintern zu zeigen, okay?"

Meine Freundinnen kommen aus dem Staunen nicht mehr heraus. Mit großen Augen starren sie von Luca zu mir und wieder zurück.

„Kennt ihr euch?", fragen die beiden schließlich im Chor, worauf Luca und ich ebenfalls gleichzeitig antworten, er allerdings mit Ja und ich mit Nein.

„Was denn nun: ja oder nein?", will Muriel wissen.

Luca breitet die Arme aus. „Eure Freundin hält mich für ein Warzenschwein. Und ich darf ihr nicht das Gegenteil beweisen."

Muriel und Carlotta verstehen überhaupt nichts mehr. Zum Glück ruft drinnen jemand gerade Lucas Namen. Darum nimmt er schnell unsere Bestellung auf und verschwindet.

„Wow, sieht der super aus!", schwärmt Muriel leise. Dann pikst sie mich in die Seite und zischt: „Los, verrate uns endlich, woher du ihn kennst."

Verdammter Mist! Ich hätte die ganze Geschichte so gern für mich behalten. Aber das geht jetzt leider nicht mehr. Ich berichte meinen Freundinnen in Kurzform, wie ich mit Luca zusammengestoßen bin und dass er unbedingt meine Nummer haben wollte.

„Und du hast sie ihm nicht gegeben?" Carlotta fällt aus allen Wolken. „Wie kann man nur so bescheuert sein, Rebekka?"

„Wieso bescheuert? Ja, zugegeben, er sieht ganz nett aus, aber ihr hättet euch mal sein dummes Gerede anhören müssen."

„Welches Gerede?", fragt Muriel.

In diesem Moment taucht Luca wieder auf und serviert uns schwungvoll unsere Eisbecher. Dabei lächelt er mich ununterbrochen an. Muriel und Carlotta kichern drauflos. Wie ich sie manchmal hasse, diese dummen Ziegen!

„Lass es dir schmecken, schöne Prinzessin!", ruft mir Luca augenzwinkernd zu, ehe er wieder zurück ins Café eilt.

„Schöne Prinzessin!", wiederholt Carlotta prustend und kriegt sich nicht mehr ein vor Lachen.

Muriel dagegen mustert so neugierig mein Gesicht, als hätte sie es noch nie gesehen. „Der Typ hat Recht", murmelt sie stirnrunzelnd. „Du bist wirklich schön, Rebekka."

Ich verdrehe die Augen, greife nach dem Löffel und konzentriere mich auf mein Bananensplit. Die Fragen, mit denen mich meine Freundinnen löchern, überhöre ich einfach. Und ich hebe auch nicht den Kopf, wenn Luca pfeifend an unserem Tisch vorbeispaziert. Warum lässt mich der Kerl nicht in Ruhe? Ich hab ihm doch gar nichts getan!

Plötzlich schreit Muriel: „Es regnet! Schnell rein, Leute!"

Dicke Tropfen prasseln vom Himmel. Im Nu ist unser Tisch klatschnass. Muriel, Carlotta und die anderen Gäste um uns herum schnappen sich ihre Eisbecher und fliehen kreischend ins Café.

Und ich?

Manchmal bin ich schrecklich gern allein. So wie jetzt zum Beispiel. Beim Spazieren durch den Regen kann ich mich wunderbar einsam fühlen.

Seufzend erhebe ich mich vom Stuhl und mache mich auf den Weg hinunter zum Rhein.

Eigentlich recht praktisch, so ein gigantischer Schnäuzer
wie der von Ludwig! Wenn er gefragt wird, was er gefrüh-
stückt hat, braucht er nur auf das Riesending zu zeigen.
Dort kann man Brötchenkrümel, Eigelb und Erdbeermar-
melade entdecken.

„Hat jemand von euch einen Vorschlag, wie wir das Wochenende gestalten können?", fragt er in die Runde, nachdem er den letzten Schluck Kaffee ausgetrunken hat. „In
der Kunsthalle ist eine interessante Ausstellung über unbekannte expressionistische Meister. Oder möchtet ihr lieber
auf einen Trödelmarkt?"

„Mein Wochenende sieht genauso aus wie immer", knurrt
Sophie. „Ich färb mir die Haare und fahre zu Charlotte."

„Aha. Und was unternehmt ihr beide zusammen?"

„Rauchen, Fernsehen gucken und besoffen ins Bett torkeln." Sie grinst ihn an. „Nee, Moment, das war die falsche
Antwort. Wir büffeln für die Mathearbeit am Montag und
reden dann über unser großes Problem."

„Was ist denn euer großes Problem?", möchte Ludwig allen Ernstes wissen.

„Dass wir kein Geld für 'ne Flasche Wein haben und deshalb wohl doch nicht besoffen ins Bett torkeln können." Sophie steht auf und legt eine Hand auf Mutters Nacken. „Sag deinem Freund bitte, dass er sich hier nicht als Vater aufspielen soll. Nicht mal Paps selbst hat sich je als Vater aufgespielt. Wie Charlotte und ich am Wochenende unsere Zeit totschlagen, hat keine Sau zu interessieren, kapiert?" Mutter frühstückt einfach weiter, ohne sich um Sophie zu kümmern. Die stößt einen Rülpser aus und verkrümelt sich aus der Küche.

Ellen schüttelt den Kopf. „Bin mal gespannt, wie das mit ihr endet. Irgendwann dreht sie noch völlig durch, wetten?"

So ein Blödsinn! Sophie ist nur ein kleines Mädchen, das noch nicht kapiert hat, dass es schon sechzehn ist. Okay, sie macht zwar jede Menge Unsinn, aber was richtig Übles wird sie niemals anstellen. Dafür ist sie nämlich viel zu kindisch. Obwohl ich zwei Jahre jünger bin als sie, komme ich mir oft Sophie gegenüber wie eine alte Frau vor.

Weil Ellen mit Mutter und ihrem Freund ein Gespräch über verschiedene Erziehungsmethoden beginnt, trinke ich schnell meinen Kakao aus und flüchte vor den vielen

Fremdwörtern, die sich die drei gegenseitig um die Ohren hauen.

Als ich an der Schlafzimmertür vorbeikomme, bleibe ich stehen und werfe einen Blick hinein. Zwei Decken und zwei Kopfkissen liegen auf dem Bett. Es sieht also wieder genauso aus wie früher – abgesehen davon, dass heute Nacht nicht Paps unter der Decke gelegen hat.

Mein Blick fällt auf den Kleiderschrank. Prompt muss ich an die Flasche Cognac denken, die Mutter angeblich dort versteckt hat. Ob tatsächlich was dran ist an Sophies Behauptung? Ich kann einfach nicht glauben, dass sie mir bei einem unserer Kurz-vorm-Einschlafen-Gespräche eine Lüge aufgetischt hat. Aber noch weniger glaube ich natürlich, dass Mutter heimlich trinkt. Das wäre mir garantiert schon aufgefallen. Oder ist Mutter etwa eine bessere Schauspielerin als ich?

Schnurstracks marschiere ich auf den Schrank zu und öffne die beiden Türen. Unten links liegt ein ganzer Berg mit Wanderschuhen. Ich strecke die rechte Hand aus und wühle in den Schuhen herum. Als ich plötzlich Glas berühre, zucke ich erschrocken zusammen. Drei Sekunden später halte ich eine Flasche Cognac zwischen den Fingern.

Wahnsinn – Sophie hat die Wahrheit gesagt!

Im Flur klingelt das Telefon. Blitzschnell verstaue ich die **55**

Flasche wieder im Schrank und flüchte aus dem Schlafzimmer.

„Schwabach", melde ich mich.

„Hi, hier ist Muriel!"

„Du bist schon wach?", wundere ich mich. „Es ist Samstag! Normalerweise schläfst du doch immer bis zum Abendbrot."

„Ich schlaf ja gleich weiter", erwidert sie gähnend. „Ich wollte nur fragen, warum du gestern aus dem Eiscafé verduftet bist."

„Darum."

Dass ich abgehauen bin, weil mich Luca nervös machte, braucht Muriel nicht unbedingt zu erfahren. Überhaupt hab ich mich gestern mal wieder darüber geärgert, dass meine Freundinnen so viel über mich wissen. Wenn Muriel noch nie etwas von Adrian gehört hätte, dann hätte sie mich auch nicht mit dämlichen Sprüchen über ihn verletzen können.

„Luca war echt traurig, als du auf einmal weg warst", behauptet Muriel.

„Und? Habt ihr ihm alles verraten?"

„Was alles?"

„Name, Adresse, Telefonnummer, BH-Größe –"

„Idiotin!", unterbricht mich Muriel gereizt. „Kein Wort haben wir gesagt, obwohl der Knabe so ziemlich alles über dich wissen wollte. Angeblich hat er sich total in dich verknallt. Was sagst du dazu?"

„Ach du Scheiße!"

„Wieso? Er ist doch echt nett und sieht fantastisch aus. Und was für tolle Manieren er hat! Die Jungs aus unserer Klasse sollten mal Nachhilfe bei ihm nehmen, wie man mit molto simpatico Signorinas wie uns richtig umgeht."

„Molto waaas?"

„Na ja, das bedeutet wohl, dass er uns echt cool findet." Sie gähnt schon wieder. „Ich gehe zurück ins Bett. Schönes Wochenende, Prinzessin!"

„Dir auch, Königin!"

„Und das mit dem Aussehen hab ich wirklich ernst gemeint. Komisch: Wir kennen uns schon so lange, aber gestern ist mir zum ersten Mal aufgefallen, wie schön du bist."

„Ich muss jetzt auflegen, weil hier literweise Schleim aus dem Hörer fließt. Schlaf gut, du Murmeltier!"

„Bis Montag!"

Ehe ich in mein Zimmer verschwinden kann, höre ich Mutter aus der Küche rufen: „Wer war denn dran?"

Ich will Muriels Namen rufen, doch dann kommt mir eine bessere Idee. Mit gesenktem Kopf und geknickter Miene schleiche ich in die Küche. Dort beuge ich mich über Mutter, schlinge meine Arme um ihren Hals und sage traurig: „Muriel war dran."

Mutter tätschelt meinen Hinterkopf. „Was ist denn mit ihr, mein Schatz?"

Während des letzten Satzes hab ich meine Nase ganz dicht an Mutters Lippen gehalten und ihren Atem geschnuppert. Nein, von Alkohol keine Spur! Aber wer weiß, vielleicht fängt sie ja erst nach dem Frühstück an zu saufen.

Ach was! Das ist alles kompletter Schwachsinn. Ich hab meine Mutter noch nie lallen gehört oder sie volltrunken durch die Gegend wanken sehen. Die Flasche im Schrank muss aus einem anderen Grund dort versteckt sein.

„Nun sag schon, was mit Muriel los ist", drängt meine Mutter.

„Sie ist verliebt", schwindle ich, weil mir nichts Besseres einfällt.

„In wen?"

„In mich. Stell dir vor, Mutti: Sie behauptet, ich bin wunderschön!"

Einen Moment lang ist es so still in der Küche, dass ich Mutters Herz klopfen höre. Dann meldet sich Ludwig zu Wort.

„Beruhige dich, Rebekka! Das muss nicht bedeuten, dass sie lesbische Gefühle für dich empfindet. In eurem Alter gibt es oft gleichgeschlechtliche Annäherungen, die nur ganz entfernt etwas mit Liebe zu tun haben. Verstehst du, was ich meine?"

„Ja: dass ich Muriel nächstes Jahr heiraten werde."

Ein Glück, dass Sophie bei ihrer Freundin Charlotte übernachtet! Wenn sie jetzt reinplatzen und mich bei meiner
Modenschau überraschen würde, bekäme sie garantiert einen Lachkrampf.

Seit über einer Stunde bewundere ich mich nun schon in
dem großen Spiegel neben der Tür. Ich krame ein Teil nach
dem anderen aus Sophies Schrank, schlüpfe hinein und
stolziere dann wie ein Model auf dem Laufsteg kreuz und
quer durch unser Zimmer. Dabei beleuchtet mich ein riesi-
ger Scheinwerfer: die Sonne.

Es ist ein wunderschöner Sonntagvormittag mit strahlend
blauem Himmel. Ich habe das Fenster ganz weit aufgerissen. Weil mich das Gezwitscher von draußen genervt hat,
läuft eine alte CD von Madonna. Vögel mag ich nur auf
Postern, wie zum Beispiel den riesigen Seeadler, der über
meinem Bett schwebt. Der kackt nie und hält immer die
Klappe.

60   Seltsam: Sobald ich in eins von Sophies Kleidern oder einen ihrer Röcke gestiegen bin, bewege ich mich automatisch ganz anders. Ich kann einfach nicht mehr normal gehen, sondern schreite daher wie eine Herzogin, die durch ihre Gemächer spaziert. Über meine hochmütige Miene muss ich selbst lachen, so bescheuert komme ich mir vor. Warum höre ich nicht endlich auf mit dieser peinlichen Vorstellung?

Am ulkigsten sehe ich in Sophies Miniröcken aus. Wie ein Storch mit knallbuntem Gefieder. Normalerweise werden meine endlosen, dürren Stelzen in Jeans verpackt. Und der Rest meines Körpers in irgendwelche T-Shirts oder Pullover, je nach Temperatur. Um Mode habe ich mich noch nie gekümmert. Aber heute Morgen war ich plötzlich neugierig darauf, wie ich in ganz anderen Klamotten aussehe.

Ja, ich geb's zu: Mir geht das Gequatsche von Luca und Muriel nicht aus dem Kopf.

Schön? Ich? Hahaha!

Nein, hässlich bin ich sicher nicht, aber ich möchte echt gerne wissen, was an mir schön sein soll. Bestimmt nicht die Kartoffel, die seit Jahren mitten in meinem Gesicht wächst. Und wächst. Und wächst. Und wächst. Und wächst.

Nichts an mir hasse ich so sehr wie dieses Ungetüm. Kaum zu glauben, dass ich meine schreckliche Nase trotzdem so hoch trage!

61

Was ich auch anziehe oder wie affig ich vor dem Spiegel herumturne – schöner werde ich dadurch kein bisschen. Luca und Muriel sollten doch mal eine große Lupe vor mein Gesicht halten und etwas genauer hinschauen. Das Einzige, was ich schön an mir finde, ist leider sowieso nicht zu sehen: meine Stimme.

Nanu, warum wird es denn auf einmal so dunkel im Zimmer? Irgendwas stimmt nicht mit meinem Scheinwerfer. Ich gehe zum Fenster und schaue hinauf zur Sonne. Aha, eine Wolke hat sich vor sie geschoben. Allerdings ist sie die einzige am ganzen Himmel. Meine Show wird also gleich weiterbeleuchtet.

Ehe ich mich wieder Sophies Kleiderschrank zuwende, werfe ich noch einen Blick auf die Straße.

Adrian!

Er kniet vor seinem Fahrrad und pumpt den Hinterreifen auf. Blöde Madonna! Wäre die Musik nicht so laut, hätte ich gehört, dass mein geliebter Nachbar seine Wohnung verlassen hat.

Was er wohl zu diesem langen, roten Kleid sagen würde?

Hals über Kopf stürze ich hinaus. Ludwig staubt gerade im Flur einen Bilderrahmen ab. Ich verstehe nicht, wieso er dafür einen Lappen benutzt. Wozu hat er denn seinen

Schnäuzer?

„Like a virgin!", ruft er hinter mir her.

„Bin ich doch auch!", rufe ich zurück. „Aber hoffentlich ändert sich das bald!"

Im Treppenhaus dämmert mir, dass Ludwig sicher nicht gemeint hat, ich würde in dem langen Kleid wie eine Jungfrau aussehen. Er wollte mir nur mal wieder beweisen, wie toll er über Popmusik Bescheid weiß und dass er jedes Stück von Madonna kennt. „Like a virgin" dröhnte nämlich tatsächlich aus den Boxen, als ich eben aus meinem Zimmer stürmte.

Ich reiße die Haustür auf. Shit! Adrian ist schon weg. Wohin? Am Ende der Straße erspähe ich sein silbernes T-Shirt, in dem er aussieht wie ein Techno-DJ.

Aus Wut darüber, dass ich ihn so knapp verpasst habe, trete ich gegen die Haustür. Aua! Ich bin ja barfuß aus der Wohnung gerannt, wie mir erst jetzt auffällt. Doch das ist mir völlig schnuppe! Entschlossen packe ich mein Rad, das neben den Briefkästen im Hausflur lehnt, trage es auf die Straße und schwinge mich auf den Sattel.

Weil sich das lange Kleid dauernd in den Pedalen verfängt, raffe ich es mit der linken Hand bis zu den Knien hoch und halte es fest. Na toll! Jetzt kann ich nur mit einer Hand lenken. Und gleichzeitig muss ich auf die Autos achten und darf Adrian nicht aus den Augen verlieren.

Obwohl ich mit aller Kraft strampele, wird der Abstand zwischen uns immer größer. Warum hat der Spinner es denn so wahnsinnig eilig? Heute ist er doch nicht als Kurier unterwegs, sondern sucht wahrscheinlich nur ein stilles, sonniges Plätzchen zum Lesen. Jedenfalls ist mir vorhin ein Buch auf seinem Gepäckträger aufgefallen.

Ein paar Straßen weiter kann ich mir denken, wohin die Reise geht: zum Rheinpark. Dort hat ihn Mutter schon mal mit einer seiner Ex-Freundinnen gesehen. Die beiden lagen eng umschlungen im Gras – eine Szene, die mich immer noch ab und zu in meinen Alpträumen verfolgt. Darin hat Adrians Ex-Freundin nichts zu lachen. Skalpieren ist so ziemlich das Harmloseste, was ich bisher im Traum mit ihr angestellt habe.

Kurz darauf verschwindet Adrian aus meinem Blickfeld, aber das ist nicht weiter schlimm. Ich werde halt den ganzen Rheinpark nach ihm absuchen. Irgendwo wird er schon stecken.

Und tatsächlich: Nur fünf Minuten später entdecke ich ihn auf einer Bank unter einer riesigen Linde. Er hat die Schuhe ausgezogen, hockt im Schneidersitz auf der Bank und ist völlig in das Buch vertieft, das auf seinen Knien liegt.

Mein Herz klopft wie verrückt, als ich etwa dreißig Meter
von der Bank entfernt vom Rad steige. Mal sehen, ob ich

wirklich so eine gute Schauspielerin bin, wie einige behaupten. Ich will so tun, als wäre ich hier zufällig unterwegs. Ob Adrian mir das abnimmt?

Doch plötzlich bleibe ich total geschockt stehen. Denn wer taucht aus heiterem Himmel vor Adrian auf und quatscht ihn an?

Ellen!

Sie lässt sich neben Adrian nieder, der sofort sein Buch zuklappt und anscheinend einen Witz macht. Oder warum wiehert meine Schwester so dämlich?

Nun fängt auch Adrian an zu kichern. Wie ich sie hasse, diese Grübchen um seinen Mund! Möchte mal wissen, womit Ellen ihn zum Lachen gebracht hat. Wahrscheinlich mit einer lustigen Bemerkung über ihre Schweißfüße. Die stinken wirklich bestialisch! Sollte sie auf der Bank ihre Schuhe ausziehen, würden ringsherum die Vögel reihenweise tot von den Bäumen fallen.

Nein, die beiden Kichererbsen kann ich mir keine Sekunde länger antun!

Tief betrübt senke ich den Kopf und schaue an mir runter. Was für eine idiotische Idee von mir, in diesem roten Laken durch die halbe Stadt zu rasen! Was hätte Adrian wohl dazu gesagt, wenn ich in dem albernen Teil vor ihm aufgetaucht wäre, noch dazu barfuß? Ich hätte mir wenigstens zwei Pampelmusen auf die Brust kleben können, um einen Busen vorzutäuschen. Meiner ist nicht mal halb so groß wie der von Benny, dem dicksten Jungen in unserer Klasse.

Seufzend steige ich aufs Rad und trete in die Pedale. Ich hab keine Ahnung, wohin ich fahre. Als ich um die nächste Ecke biege, muss ich scharf bremsen, weil mir eine Frau und ein kleiner Junge im Weg stehen.

„Guck mal, Mama, das Mädchen weint", sagt der Junge und zeigt auf mein Gesicht. „Warum denn?"

„Weil es traurig ist", antwortet die Mutter.

So ein Quatsch! Ich hab eine Fliege im Auge, nur deshalb flenne ich. Warum sollte ich wegen irgendeinem idiotischen Nachbarn, den ich mal geliebt habe, auch nur eine Träne vergießen? Ich kann mich ja schon gar nicht mehr an seinen Namen erinnern.

Adrian!

Er ist schuld daran, dass ich Carlotta und Muriel am nächsten Morgen auf dem Schulhof mit einem herzhaften Gähnen begrüße.

Nachdem mir meine beiden Freundinnen ein Küsschen auf die Backe gedrückt haben, meint Muriel grinsend: „Du verwechselst da was, Rebekka."

„Hä?"

„Ringe gehören an die Finger und nicht unter die Augen. Du siehst aus, als hättest du die ganze Nacht nicht geschlafen."

„Hab ich auch nicht", gestehe ich.

Carlotta will den Grund dafür wissen. Den möchte ich jedoch lieber für mich behalten.

„Da waren zwei blöde Mücken in meinem Zimmer", behaupte ich. „Unglaublich, wie die einen nerven können!"

Die Mücken hatten sogar Namen: Ellen und Adrian. Sie summten die ganze Nacht in meinem Hirn herum und piksten mich mit den Stacheln der Eifersucht. Immer wieder stellte ich mir dieselben Fragen. Hatten sich die beiden zufällig auf der Bank getroffen? Oder waren sie verabredet gewesen?

Natürlich hätte ich Ellen sofort zur Rede gestellt, sobald sie nach Hause gekommen wäre. Stundenlang lag ich wach und lauschte auf jedes Geräusch im Haus. So sehr hatte ich mich noch nie auf das Klimpern von Ellens Schlüsselbund gefreut. Doch sie blieb die ganze Nacht weg, grrr! Wahrscheinlich übernachtete sie bei ihrer Freundin Babette.

Adrian hingegen kam gegen Mitternacht zurück. Seine Bremsen quietschen nur ganz leise, aber manchmal höre ich sie sogar im Schlaf. Prompt verließ ich das Bett, huschte aus dem Zimmer, tastete mich vorsichtig durch den dunklen Flur und presste mein rechtes Auge an den Türspion.

War Adrian besoffen? Oder warum grinste er so schwachsinnig vor sich hin, als er mit dem Fahrrad auf der Schulter an unserer Tür vorbeimarschierte?

Kaum lag ich im Bett, drehte meine Phantasie völlig durch. Ich sah Ellen und Adrian Hand in Hand durch den Rheinpark spazieren. Ich sah sie eng umschlungen im Gras liegen. Ich sah die beiden nackt in Ellens Bett, umzingelt von

Bergen von Kondomen. Ich sah sie im Garten ihrer riesigen Villa um den Pool hocken, zusammen mit ihren vier Kindern und einem schwarzen Dobermann.

Klar, das war der reinste Blödsinn, was da in meinem Hinterkopf ablief! Aber ich konnte mich einfach nicht gegen all diese Bilder wehren, die mir das Herz brachen. Wahrscheinlich haben meine Schwester und Adrian höchstens zehn Minuten lang auf der Bank gesessen. Dann ist Adrian bestimmt abgehauen, weil er in Ruhe lesen wollte.

Oder?

„Und weißt du, was die beiden dann gemacht haben?", fragt mich Carlotta in diesem Moment.

Ich hab keine Ahnung, wovon sie redet, weil ich die ganze Zeit an Adrian und Ellen gedacht habe.

Muriel zupft mich am Ärmel. „Hey, was ist los mit dir? Wir erzählen von der Party von Ibrahim und Jakob, und du stierst völlig weggetreten vor dich hin. Nimmst du irgendwelche Drogen?"

„Nein, ich saufe nur", scherze ich. „Aber das liegt in der Familie. Sophie und meine Mutter sind auch ständig betrunken."

„Aha." Muriel lächelt. „Und Ellen ist kokssüchtig, stimmt's?"

Als ich den Namen meiner ältesten Schwester höre, fängt

mein Magen an zu kribbeln. Scheiße! Nie hätte ich gedacht, dass ich jemals eifersüchtig auf Ellen sein könnte.

„Du wirst ja ganz blass", wundert sich Carlotta.

Um schnell von mir abzulenken, erkundige ich mich: „Wie
war denn die Party?"

„Stinklangweilig!", seufzt Muriel. „Erst hörten wir uns
stundenlang CDs von ein paar Komikern an. Jakob und
Ibrahim lachten sich dabei fast tot. Zu trinken gab's nur
Mineralwasser. Alle zehn Minuten mussten wir pinkeln."

„Das war auch das Spannendste an der Party", fügt Carlotta
hinzu.

Muriel nickt betrübt. „Als dann endlich eine CD mit Musik
lief, dachten wir, dass es jetzt richtig losgeht. Und was pas-
sierte? Jakob und Ibrahim zückten ihre Gameboys und
kümmerten sich kein bisschen mehr um uns. Wir hätten
nackt auf dem Fensterbrett rumtanzen können, ohne dass
einer der beiden uns auch nur einen einzigen Blick zugeworfen hätte. O Mann, sind das Idioten!"

„Nein, sie sind einfach nur Jungs", belehre ich sie. „Ver-
klemmte kleine Jungs!"

In der ersten großen Pause regen sich Carlotta und Muriel
weiter über die Party auf. Sie hatten sich allen Ernstes eingebildet, Jakob und Ibrahim wären in sie verknallt.

70 „Dabei lieben sie offenbar nur ihre Gameboys", vermutet

Carlotta mit bitterer Miene. „Ob sie die Dinger auch küssen und ablecken? Das könnte die vielen Pickel um ihren Mund herum erklären."

Während wir über den Schulhof schlendern, taucht immer wieder Adrians Grinsen von gestern Nacht vor mir auf. Hat er etwa an Ellen gedacht, als er durchs Treppenhaus ging? Aber was kann ihn dermaßen an ihr entzückt haben? Meine Schwester ist eine langweilige Besserwisserin, die sich für alles Mögliche interessiert, nur nicht für Liebe. Vier Jahre lang war sie mit demselben Typen zusammen, einem schüchternen, langen Lulatsch mit Hornbrille, der nicht nur Archibald hieß, sondern auch genauso aussah. Seit er Ellen wegen seiner Mutter verlassen hat, die unbedingt mit ihm nach Paris ziehen wollte, waren Männer kein Thema mehr für Ellen.

„Na, ist da eben nicht unser großer Star vorbeigegangen?", höre ich jemanden hinter mir ironisch ausrufen. „Gemeinheit, dass sie nie Autogramme an uns verteilt! Würdet ihr euch nicht auch eins davon gerne ins Klo hängen?"

Ich bleibe stehen und drehe mich um. Britta Steiner, die von drei Freundinnen umgeben ist, zwinkert mir zu. Allzu freundlich sieht sie mich dabei allerdings nicht an.

„Hast du was gesagt?", frage ich das Mädel, das schon seit Jahren fast alle Hauptrollen in der Theater-AG spielt.

„Nicht zu dir", erwidert sie spitz. „Du würdest mir ja sowieso nicht zuhören, dafür bist du ja zu eingebildet."

„Was soll der Scheiß?", faucht Muriel sie an.

„Ich habe von Frau Dietl gehört, dass du auf keinen Fall bei unserer Theater-AG mitmachen willst", sagt Britta, ohne Muriel zu beachten. „Wahrscheinlich hältst du es für unter deiner Würde, mit miesen Amateuren wie mir auf einer Bühne zu stehen."

„Quatsch!", widerspreche ich, obwohl Britta mit ihrer Vermutung absolut richtig liegt. „Ich hab nur keine Zeit."

„Verstehe!", sagt Britta. „All diese wichtigen Werbespots für Vogelfutter, Tampons und Babywindeln, da bleibt natürlich keine Zeit für Goethe und Shakespeare."

Am liebsten würde ich der dummen Ziege ein paar Haare ausrupfen, aber mir fällt eine bessere Rache ein.

„Die Werbejobs erledige ich nebenbei", behaupte ich obercool. „Aber ich spiele bald die Hauptrolle in einem Fernsehfilm. Dafür muss ich natürlich meinen Text lernen und kann leider nicht meine wertvolle Zeit auf der Aulabühne verschwenden."

Läuft Britta tatsächlich grün an oder bilde ich mir das bloß ein? Jedenfalls leidet ihr Mundwerk an einer momentanen Ladehemmung. So große Augen macht sie sonst nur auf der Bühne, wenn sie mal wieder übertreibt.

Ich drehe ihr den Rücken zu und setze mich in Bewegung, verfolgt von Muriel und Carlotta. Die beiden sind völlig aus dem Häuschen und bestürmen mich mit Fragen.

„Warum hast du uns nicht schon längst was von der Hauptrolle erzählt?", will Muriel wissen.

„Weil ich sie noch gar nicht habe", erkläre ich wahrheitsgemäß. „Erst muss ich gecastet werden, dann krieg ich die Rolle. Aber vielleicht bin ich ja nicht gut genug dafür."

Das habe ich nur gesagt, damit meine Freundinnen eifrig widersprechen, was sie auch sofort tun. Ja, ich weiß: Eine Menge Leute halten mich für total eingebildet. Aber das liegt nur daran, dass ich total eingebildet bin. Manchmal jedenfalls.

In der nächsten großen Pause laufen wir Britta und ihren Freundinnen erneut über den Weg. Sie würdigt mich keines Blickes, obwohl ich ihr gnädig zunicke.

Doch als sie uns nach der letzten Stunde im Treppenhaus überholt, meint sie schnippisch im Vorübergehen: „Hoffentlich bekommst du den Oscar für deine tolle Hauptrolle!"

„Ach, ich wär auch schon mit der Goldenen Kamera zufrieden!", rufe ich ihr hinterher.

Das Gegacker von ihr und ihren drei Freundinnen regt Carlotta mächtig auf. „Diese dumme Kuh!", ärgert sie sich.

„So gut schauspielern wie die kann sogar mein alter Teddybär!"

Am Schultor stoßen wir wieder auf Britta und ihr Gefolge. Sie haben die Köpfe zusammengesteckt und schauen immer wieder in Richtung Straße. Was gibt's denn da zu sehen?

Ach du Schande!

Vor Überraschung bleibt mir kurz die Luft weg. Denn wer steht da vor der Schule in einer weißen Hose und einem schwarzen Hemd und strahlt mich an? Luca!

„Ihr Lügnerinnen!", beschimpfe ich meine Freundinnen stinksauer. „Ihr habt doch geschworen, dass ihr ihm nichts über mich verraten habt!"

„Haben wir auch nicht", versucht mich Muriel zu beruhigen. „Aber auf welcher Schule wir sind, durften wir ihm doch sagen, oder? Wir hatten ja keine Ahnung, dass er hier aufkreuzt."

Ich lasse meine Freundinnen stehen und marschiere mit geballten Fäusten auf Luca zu. Der kann was erleben, der Spinner! Aber als ich an Britta vorbeikomme, höre ich sie einer Freundin zuflüstern: „Ist das ein Supertyp!"

Prompt unterdrücke ich meine Wut, zwinge mich zu einem Lächeln und umarme den verdatterten Luca, als ich vor ihm stehe.

74 „Freust du dich echt, mich zu sehen?"

„Jaja!", entgegne ich unwirsch. „Was willst du hier?"

„Na was wohl?"

Ehe ich ihn daran hindern kann, hat Luca sein Hemd über den Kopf gezogen und präsentiert mir seinen braungebrannten Oberkörper.

„Wow!", entfährt es allen Mädels ringsum. Besonders begeistert sind Brittas Freundinnen.

„Was soll der Scheiß?", fauche ich. „Wir sind hier nicht im Freibad!"

„Und? Siehst du auch nur eine einzige Warze?", fragt mich Luca. „Hier, guck mich ganz genau an!"

Ist der peinlich, der Kerl! Zum Glück erscheint Mrs Fitzgerald, unsere Englischlehrerin, auf der Bildfläche.

„Soll das hier ein Striptease werden, junger Mann?", fragt sie Luca.

„Ja", antwortet er ungeniert und fummelt an seinem Hosenknopf herum. „Ich möchte dieser schönen Prinzessin unbedingt was zeigen."

Da zückt Mrs Fitzgerald ihr Handy und droht: „In fünf Sekunden bist du hier verschwunden, sonst gucken dir gleich bei deiner Show ein paar Herrschaften in grünen Uniformen zu."

„Okay, ich verzieh mich ja schon!" Er legt einen Arm um mich. „Lass uns abhauen, Baby!"

„Hmhm." Ich schlinge einen Arm um seine Hüften und zische so, dass niemand sonst es hören kann: „Wenn du mich noch einmal Baby nennst, schneide ich dir die Zunge ab, kapiert?"

Wir gehen los, beobachtet von der halben Schule. Hey, wo bleibt der Applaus? So eine tolle Szene hab ich noch nie gespielt ...

Zwei Straßen weiter lasse ich Luca los und entwinde mich seinem rechten Arm. Höchst erstaunt wandern seine schönen Augenbrauen in die Höhe.

„Magst du mich nicht mehr?"

„Warum sollte ich dich mögen, du Komiker?", frage ich zurück. „Du gehst mir bloß auf die Nerven mit deiner Angeberei! Seit zehn Minuten quatschst du über nichts anderes als deinen Body. Wen interessiert denn, welche Lotion du benutzt und wie oft du dich auf die Sonnenbank legst?"

„So ziemlich jedes Mädel, das hinter mir her ist."

„Mir ist völlig egal, womit du deinen edlen Körper einschmierst", knurre ich. „Von mir aus kannst du dich jeden Morgen in getrockneter Pferdekacke wälzen. Und jetzt zieh endlich dein Hemd wieder an. Ist ja grauenhaft, wie uns die Leute anstarren!"

„Die Leute!", wiederholt er verächtlich, schlüpft aber trotzdem in sein schwarzes Hemd. „Die können mich ruhig anglotzen, wenn sie möchten. Schließlich will ich damit

77

mal mein Geld verdienen. Oder traust du mir nicht zu, Model zu werden?"

„Können wir mal über was anderes reden als nur über dich?"

Er lacht. „Na schön, reden wir über dich! Warum rennst du denn so?"

„Weil ich es eilig habe. Ich muss meine Schwester unbedingt was fragen."

„Aha, du hast eine Schwester", stellt er fest.

„Nein."

„Äh, wieso nicht?"

„Weil ich zwei Schwestern habe. Wehe, du quetschst mich jetzt aus! So was hasse ich wie die Pest, verstanden?"

„Si, Signorina!"

Wir unterhalten uns übers Wetter und über Musik, bis wir vor unserem Haus ankommen.

„Darf ich denn wenigstens nach deinem Namen fragen?", erkundigt sich Luca.

„Ja, darfst du."

„Und? Wie lautet er?"

„Ich hab nur gesagt, dass du fragen darfst. Eine Antwort darauf hab ich dir nicht versprochen, oder?"

Er schaut hinauf zum blauen Himmel, atmet ganz tief durch und brummt: „Dann eben nicht."

„Ciao!", sage ich und stecke den Schlüssel in die Tür. Ehe ich im Haus verschwinde, drehe ich mich noch einmal kurz um und murmle: „Rebekka. Zufrieden?"

„Ich mag dich, Rebekka!", sülzt der Trottel ohne Zögern drauflos.

Da hilft nur eins: Flucht!

Ich knalle die Tür hinter mir zu und stapfe die Treppe hinauf. Was für ein Dummschwätzer! Außer für filmreife Auftritte vor dem Schultor ist er sicher für nichts zu gebrauchen. Dass er mich mag, kann ich mir beim besten Willen nicht vorstellen. Das Einzige, was Luca wirklich mag, ist Luca, wetten?

Immerhin hab ich ihm zu verdanken, dass ich eine Viertelstunde lang keinen einzigen Gedanken an Adrian und Ellen verschwendet habe.

Ich bin gespannt, ob meine älteste Schwester überhaupt zu Hause ist oder nicht. Eigentlich müsste sie heute in der Uni sein. Allerdings kann ich mich vage daran erinnern, dass letzten Montag irgendeine Vorlesung ausgefallen ist.

Kaum habe ich die Wohnungstür aufgeschlossen, begrüßt sie mich unwirsch: „Wo bleibst du denn so lange? Ich warte mit dem Essen auf dich. Wie hast du den Weg von der Schule bis hierher zurückgelegt, hä? Auf den Knien?"

„Nein, Arm in Arm mit dem schönsten Jungen von ganz

Düsseldorf", antworte ich und ärgere mich über das Zittern in meiner Stimme. Wenn ich mich gleich nach ihrem Treffen mit Adrian erkundige, darf ich mir auf keinen Fall anmerken lassen, wie viel er mir bedeutet. Von meiner Liebe zu ihm darf sie niemals etwas erfahren.

Kurz darauf sitzen wir uns am Küchentisch gegenüber und essen Spagetti mit einer Champignonsoße.

„War dein Professor heute wieder indiskutiert oder wie das heißt?", frage ich, weil ich nicht sofort mit Adrian loslegen möchte.

Ellen verdreht die Augen. „Ich hasse es, wenn du so tust, als würdest du keine Fremdwörter verstehen!"

Und ich liebe es, wenn jemand glaubt, ich sei viel schlauer, als ich in Wirklichkeit bin!

„Du weißt doch genau, dass es ‚indisponiert' heißt, stimmt's? Was hast du eigentlich gegen Fremdwörter, Rebekka?"

Ich zucke die Schulter. „Ich hab noch nie ein Gedicht gelesen, in dem Wörter wie Reminiszenz und Konfrontation vorkommen."

„Du und deine Gedichte!", stöhnt Ellen. „Das Leben besteht leider nicht nur aus schönen Strophen. Ich bin froh, dass ich mich mit diesem Kram nicht mehr auseinander setzen muss."

„Und was ist mit Liebesgedichten?" Es wird Zeit, zum Thema zu kommen. „Oder Liebesromanen? Manche Leute lesen einen nach dem andern."

„Was für Leute?"

Meine Hand zittert, als ich mir die nächste Ladung Spagetti in den Mund schiebe.

„Adrian zum Beispiel", sage ich kauend, worauf ein breites Lächeln auf Ellens Gesicht erscheint. Ich könnte sie schlagen! Genauso dämlich hat auch Adrian gestern Nacht im Treppenhaus gegrinst.

„Der liest alles Mögliche", meint Ellen. „Gestern hatte er ein Buch über Hölderlin dabei, als ich ihn zufällig im Rheinpark traf."

Aha – zufällig! Wenn dieses blöde Lächeln nicht wäre, könnte ich jetzt eigentlich erleichtert sein.

„Habt ihr euch denn länger unterhalten?", hake ich nach.

„Ich wusste gar nicht, was für ein witziger Typ unser Nachbar ist. Wir haben uns köstlich amüsiert."

„So?"

Ich muss meine Gabel ganz fest umklammern, damit sie mir nicht aus der Hand fällt. Ich hasse die Stimme, mit der Ellen von Adrian redet. Ich hasse Ellens verzücktes Grinsen, das sie dabei aufsetzt. Ich hasse Ellen! Ja, ich hasse sie! Ich hasse sie wie verrückt!

„Schmecken dir die Spagetti nicht?"

„Doch." Ich knalle die Gabel auf den Tisch. „Nein, sie schmecken beschissen!", schreie ich. „Noch ein Bissen, dann muss ich kotzen!"

Mit verschränkten Armen lehne ich mich auf dem Stuhl zurück und kämpfe gegen meine Tränen. Warum verdufte ich nicht in mein Zimmer, um ungestört zu heulen?

Ellen hört auf zu essen, mustert mich neugierig und fragt: „Übst du für das Casting? Oder bist du wirklich gerade so traurig, wie du aussiehst?"

„Arschloch!"

„Hab ich dir irgendwas getan?"

„Nein!", antworte ich schnell, weil ich Angst habe, sie könnte meiner Liebe zu Adrian auf die Spur kommen.

„Was hast du denn, Kleine?" So hat sie mich schon ewig nicht mehr genannt.

Könntest du dir bitte einen anderen Freund suchen, Ellen? Adrian ist meine ganz große Liebe. Wenn du ihn mir wegnimmst, dann weiß ich nicht, wie ich weiterleben soll.

Genau das möchte ich meiner Schwester sagen. Stattdessen fauche ich: „Lass mich in Ruhe!"

„Wie du willst", erwidert Ellen ungerührt, steht auf, nimmt ihren halb vollen Teller und verschwindet in ihr Zimmer.

Eine halbe Ewigkeit sitze ich da und starre die Küchentape-

te an. Warum ist mir das scheußliche Muster noch nie aufgefallen? Gelbe Enten, die in einer grünen Pfütze schwim-
men. Wer denkt sich so was Hässliches aus? Wer denkt überhaupt? Wären wir ohne Gedanken nicht alle viel glück-
licher? Zum Beispiel ohne die Gedanken, die mir gerade im
Kopf herumspuken?

Schließlich rutsche ich vom Stuhl und schlurfe aus der
Küche. Vor Ellens Tür bleibe ich stehen und frage ganz leise: „Warum?"

Sie sagt kein Wort. Komisch, dass die meisten Türen so
schweigsam sind ...

12.
Kapitel

Diese Grübelei treibt mich noch in den Wahnsinn!

Seit gestern Mittag spuken mir Adrian und Ellen ununterbrochen im Kopf herum. Den ganzen Nachmittag lag ich auf dem Bett und starrte an die Decke. Beim Abendbrot hockte ich stumm am Tisch, kaute an einem Knäckebrot herum und vermied jeden Blick in Richtung Ellen. Als Sophie dann vier Stunden später das Licht in unserem Zimmer ausmachte und ein Kurz-vorm-Einschlafen-Gespräch beginnen wollte, reagierte ich mit keiner Silbe darauf. Das fand sie dermaßen beunruhigend, dass sie sich auf mein Bett setzte und meine Wangen streichelte, bis ich eingeschlafen war. Länger als drei Minuten dürfte das bestimmt nicht bedauert haben. Weil ich in der Nacht davor kein Auge zugetan hatte, war ich so müde wie noch nie.

Heute Morgen in der Schule konnte ich mich kein bisschen auf den Unterricht konzentrieren. In den Pausen beantwortete ich nur mürrisch Carlottas und Muriels Fragen nach Luca.

Und jetzt sitze ich am Schreibtisch vor den Englischaufgaben, benutze meinen Kuli als Kaugummi und hasse mich dafür, dass ich Adrian und Ellen nicht aus meinen Gedanken vertreiben kann. Wieso will mir das einfach nicht gelingen?

Mir fällt ein, was Sophie letztens über mich gesagt hat: dass ich so scheißvernünftig wäre.

Hm.

Sollte ich die ganze Geschichte nicht mal zur Abwechslung mit Hilfe meiner berühmten Vernunft betrachten? Das, was mich so quält, sind doch im Grunde bloß Hirngespinste, jawohl! Ellen hat mit keinem Wort angedeutet, dass sie Adrian liebt. Sie fand ihn nur amüsant, mehr nicht. Und was Adrian betrifft, so hab ich keinen Schimmer, ob er sich in Ellen verknallt hat. Sein Grinsen im Treppenhaus hat vielleicht gar nichts mit meiner Schwester zu tun.

„Jetzt hör mir doch mal richtig zu, verdammt noch mal!"

Ich zucke erschrocken zusammen. Was ist das für eine Stimme, die da durch die ganze Wohnung donnert? Außer mir sind nur noch Mutter und Ludwig hier. Eben saßen die beiden noch zusammen in der Küche und tranken Tee.

„Ich hör dir schon viel zu lange zu! Viel zu lange!"

Das war eindeutig Mutter. Wenn sie draufloskreischt, hört sie sich an wie eine Heavy-Metal-Sängerin.

„Was soll das denn heißen, dass du mir schon viel zu lange zuhörst? Wenn du mich satt hast, kann ich mich ja verpissen!"

Jetzt erkenne ich die Stimme. Nicht zu fassen: Es ist Ludwig, der so brüllt! Wow, Mister Superschleimer kann sich also auch richtig aufregen. Das macht ihn mir gleich etwas sympathischer.

Die Schreierei geht noch ein paar Minuten weiter. Dann werden Türen zugeknallt, erst die Küchen- und dann die Wohnungstür.

„Hau doch ab!", ruft Mutter, als Ludwig schon längst verschwunden ist. „Hau doch ab!"

Irgendwie erinnert mich das alles an einen schlechten Film. Wenn ich der Regisseur wäre, würde ich Mutter jetzt herzzerreißend schluchzen lassen. Doch in Wirklichkeit holt sie sich vermutlich eine Dose Kekse aus dem Schrank, knabbert gemütlich daran herum und blättert dabei in der Fernsehzeitung.

Doch plötzlich fällt mir die Flasche Cognac im Kleiderschrank ein. Was hat Sophie behauptet? Dass Mutter trinkt, wenn sie nicht so gut drauf ist.

Ich stehe auf und schleiche mich leise aus meinem Zimmer.

Die Schlafzimmertür ist geschlossen. Also bücke ich mich und linse durchs Schlüsselloch.

„Was machst du denn da?"

Mutter steht im Flur, die Hände in die Hüften gestemmt, und durchbohrt mich mit einem genervten Blick.

Zig Lügen wirbeln mir durch den Kopf, von denen jedoch keine besonders überzeugend klingt. Also entschließe ich mich für die Wahrheit. Na ja, für ein bisschen Wahrheit und ein bisschen Lüge.

„Ich wollte mal sehen, ob du nach so einem Streit einen Schluck Cognac trinkst", erkläre ich und stemme nun ebenfalls die Arme in die Hüften.

„Was für'n Cognac?"

Nein, von Mutter kann ich meine schauspielerische Begabung unmöglich geerbt haben. Sie will die Ahnungslose mimen, aber ihr wütender Gesichtsausdruck sagt mir ganz deutlich: Wie bist du mir auf die Schliche gekommen, du gemeine Schnüfflerin?

„Ich hab vorgestern meine alten Wanderschuhe gesucht und dabei die Flasche Cognac entdeckt", schwindle ich, ohne mit der Wimper zu zucken. Dass ich so genial lügen kann, macht mir manchmal selbst Angst. „Warum steht die nicht im Schrank?"

Mutter grinst. „Na rate mal!"

„Weil du heimlich säufst?"

Prompt verschwindet das Grinsen wieder. „Wenn das so   **87**

wäre, ginge dich das einen Scheißdreck an, junge Dame!"
So redet mich Mutter nur an, wenn sie höllisch sauer auf
mich ist. Wenn ich nicht will, dass sie explodiert, sollte ich
kein Wort mehr über den Cognac verlieren.

„Worüber habt ihr euch denn gestritten?", lenke ich
schnell ab.

„Das geht dich noch weniger an!"

Sie verschränkt die Arme und setzt eine eisige Miene auf.
Von einer Sekunde zur andern verwandelt sie sich für mich
in einen völlig fremden Menschen.

Tausendmal hab ich mich schon gefragt, wie gut ich eigentlich meine eigene Mutter kenne. Ich weiß nicht, was sie
mit Ludwig treibt, wenn sie alleine sind. Ich weiß nicht,
warum sie nur einmal im Jahr ihren Vater besucht, der in
einem Seniorenheim in Hamburg lebt. Ich weiß nicht, was
sie Vaters neuer Freundin erzählt, die sie schon zweimal angerufen hat. Natürlich würde ich das alles gerne wissen.
Aber wenn ich zu neugierig werde, schaltet sie sofort auf
stur, genau wie ich, wenn mir jemand Löcher in den Bauch
fragen möchte.

Schließlich beendet Mutter unser peinliches Schweigen
mit dem Satz: „Willst du noch was über die Flasche wissen?"

„Über welche? Über Ludwig oder über die Cognacflasche?"

Mutter findet meine Antwort alles andere als komisch.

„Jetzt pass mal gut auf, junge Dame", bellt sie mich an und wird zum Glück vom Telefon unterbrochen.

Bereits nach dem ersten Klingeln halte ich den Hörer in der Hand. „Ja?"

„Bist du's, Rebekka? Hier ist Luca!"

„Luca?"

Am liebsten würde ich sofort auflegen, aber dann würde meine Mutter sofort wieder losbrüllen. Darum lehne ich mich entspannt an die Wand und flöte: „Wie geht's denn so? Alles klar bei dir?"

Mutter wirft mir einen grimmigen Blick zu und verzieht sich dann in die Küche.

„Du bist nicht sauer, weil ich anrufe?", erkundigt sich Luca verblüfft.

„Doch, bin ich", knurre ich.

Der arme Kerl versteht überhaupt nichts mehr. „Aber eben hast du doch –"

„Vergiss es! Woher hast du meine Nummer?"

„Weil gut aussehende Typen nicht immer so doof sind, wie die meisten Leute glauben", antwortet er. „Ich hab einfach alle Namen notiert, die auf den Klingeln an eurem Haus stehen, und mir die Nummern rausgesucht. Dass du Schwabach heißt, konnte ich mir schon denken."

„Wieso?"

„Rebekka Schwabach. Klingt schön. Und darum –"

„Bloß kein Gesülze!", warne ich ihn. „Warum rufst du überhaupt an?"

„Um zu fragen, ob bei dir alles okay ist. Ich wollte dich von der Schule abholen, aber als du dann rauskamst, hab ich mich nicht getraut, dich anzuquatschen. Du sahst total geknickt aus. Darf ich mal fragen, was du auf dem Herzen hast?"

„Ja, darfst du."

„Aber du antwortest nicht darauf, richtig?"

Ich muss lachen. „Richtig!"

Luca lacht ebenfalls. „Was machst du dann morgen?", fragt er unvermittelt.

„Nachdenken."

„Und übermorgen?"

„Nachdenken."

„Und was würdest du sagen, wenn ich dich bitten würde, dich mit mir zu treffen?"

„Tschüs!"

Ich lege den Hörer auf und warte, aber Luca ruft nicht noch mal an.

Fast eine Woche ist es jetzt her seit unserem letzten Kurz-
vorm-Einschlafen-Gespräch. Gestern hat Sophie abgeblockt, als ich mit ihr reden wollte. Wetten, dass sie gleich
genauso reagieren wird? So stinkig wie heute hab ich sie
noch nie erlebt. Beim Abendbrot beschimpfte sie sogar die
Margarine, weil sie ihr zu weich war.

Seltsamerweise ließ Mutter Sophies Anfälle ohne Kom-
mentar über sich ergehen. Mir hingegen hat sie immer
noch nicht verziehen, dass ich sie heute Nachmittag auf
den Cognac angesprochen habe. Jedenfalls behandelt mich
Mutter seitdem wie Luft. Erwartet sie etwa eine Entschuldi-
gung von mir, weil ich ihr geheimes Alkoholversteck entdeckt habe?

Zwischen ihr und Ludwig scheint wieder alles in Ordnung
zu sein. Er saß brav am Küchentisch und stopfte sich alles
Essbare unter den Schnäuzer, was ihm in die Quere kam.
Ansonsten war er ziemlich schweigsam und verlor kein
Wort über Sophies Ausraster. Ellen hätte bestimmt was

dazu gesagt. Aber die ließ sich den ganzen Abend nicht blicken, weil sie für die Uni büffeln muss.

„Schläfst du schon?", frage ich Sophie, nachdem sie das Licht ausgemacht hat und in ihr Bett gekrabbelt ist.

„Ja."

Schade. Ich drehe mich zur Wand, schließe die Augen und wende mich mal wieder meiner neuen Lieblingsbeschäftigung zu: nicht an meinen geliebten Nachbarn und an meine älteste Schwester zu denken.

Das ist gar nicht so leicht. Ich muss nämlich Ersatzgedanken finden, die mindestens genauso fesselnd sind wie die an Adrian und Ellen, aber mir nicht halb so wehtun.

Paps ...

In den Wochen nach seinem Abgang hab ich fast pausenlos an ihn gedacht. Damals waren es vor allem Erinnungen an Ferien in der Bretagne und in Schweden. Wenn er jetzt in meiner Phantasie auftaucht, dann immer zusammen mit Gabi, obwohl ich gar nicht weiß, wie sie aussieht. Ich versuche mir vorzustellen, wie sein Leben ohne Familie verläuft.

Arme Gabi! Sie muss jetzt ganz allein aushalten, womit er früher uns vier genervt hat. Zum Beispiel seine miese Laune beim Frühstück. Oder seine Schreikrämpfe, wenn er eine Socke oder die Fernbedienung nicht finden konnte. Besonders lustig war es eigentlich nie mit ihm. Warum vermisse ich ihn dann trotzdem wie verrückt?

An Luca denke ich auch nicht besonders gern. Uns beide sehe ich nämlich dauernd Arm in Arm die Straße entlangschlendern, Luca mit nacktem Oberkörper und ich mit rasendem Herzklopfen. Ist das ein tolles Gefühl gewesen! Aber wieso? Ich liebe doch einen anderen, auch wenn dieser andere vielleicht eine andere Schwabach liebt, schnüff ...

Plötzlich fragt Sophie: „Schläfst du schon?"

„Nein."

Sophie: Was hast du in meinem Kleiderschrank gesucht?

Ich: Kleider. Und Röcke. Für eine Modenschau. Ich war das einzige Model und die einzige Zuschauerin.

Sophie: Du spinnst!

Ich: Danke gleichfalls!

Sophie: Wieso?

Ich: Warum warst du so blöd beim Abendessen?

Sophie: Ich hasse es, dass dieser blöde Arschkriecher an unserem Tisch sitzt!

Ich: Er hat Mutti heute angebrüllt.

Sophie: Ludwig? Du musst dich verhört haben.

Ich: Er ist sogar aus der Wohnung gestürmt und hat die Türen hinter sich zugeknallt.

Sophie: Worum ging's denn?

Ich: Keine Ahnung. Mutti hat dann mit mir weitergestritten. Kommt sie dir auch manchmal wie 'ne Fremde vor?

Sophie: Nein. Ja. Jeder kommt mir irgendwie fremd vor. Du am meisten.

Ich: Und Ellen?

Sophie: Über die weiß ich noch weniger als über meine Sportlehrerin. Ist ja auch kein Wunder! Mit mir würde sie nicht mal über ihre Schuppen reden, weil sie mich für 'ne Vollidiotin hält.

Ich: Ellen hat Schuppen?

Sophie: Hoffentlich!

Ich: Wann war sie eigentlich zum letzten Mal verliebt?

Sophie: Die weiß überhaupt nicht, was Liebe ist. Erinnerst du dich noch an diesen Archibald?

Ich: Klar! Die beiden waren doch vier Jahre zusammen.

Sophie: Kannst du dir vorstellen, dass Ellen Sex mit ihm hatte?

Ich: Ich kann mir niemanden vorstellen, der mit irgendjemandem Sex hat. Vor allem nicht Mutti und Ludwig.

Sophie: Du wirst auch mal Sex haben.

Ich: Halt die Klappe.

Sophie: Wird dir bestimmt Spaß machen. Das Einzige, was dabei stört, sind die Jungs.

Ich: Blödsinn!

94 **Sophie:** Ich will mich nie mehr verlieben.

Ich: Echt?

Sophie: Ich hab mich gestern verliebt.

Ich: Echt?

Sophie: Er heißt Marius und ist um ein paar Ecken mit Charlotte verwandt. So'n schüchterner Typ mit verträumten Augen, der immer irgendwie geheimnisvoll aussehen will. Aber wenn er dann anfängt zu quatschen, kommt nur langweiliges Zeug raus.

Ich: Wo ist das Problem?

Sophie: Ich hab ihn noch nicht quatschen hören. So lange bilde ich mir halt ein, ich wäre in ihn verknallt. Ist doch sowieso totale Scheiße, dieser ganze Liebeskram! An deiner Stelle würde ich lesbisch werden.

Ich: Wieso?

Sophie: Mädchen riechen einfach besser. Und manche von ihnen hören dir sogar zu, wenn du ihnen was erzählst.

Ich: Hm.

Sophie: Hast du Paps mal wieder angerufen?

Ich: Interessiert dich das überhaupt?

Sophie: Nein.

Ich: Was meinst du, wie lange Mutti es mit Ludwig aushält?

Sophie: Ist mir egal.

Ich: Hast du dich wirklich in diesen Marius verliebt?

Sophie: Vergiss es!

Ich: Nein, ich hab Paps nicht angerufen.

Sophie: Hast du Muttis Cognac gefunden?

Ich: Warum sollte ich danach gesucht haben?

Sophie: Weil du neugierig bist.

Ich: Muttis Geheimnisse gehen uns nichts an.

Sophie: Ja, Mutti!

Ich: Ich frag dich ja auch nicht, mit wie vielen Jungs du schon gepennt hast.

Sophie: Ich würd's dir sagen, wenn ich mitgezählt hätte.

Ich: Tu nicht immer so, als wärst du die letzte Schlampe.

Sophie: Ich bin die letzte Schlampe!

Ich: Gute Nacht!

Sophie: Gute Nacht, Mutti!

„Scheiße, du bist ja berühmt!" Richtig geknickt sieht er
aus, der arme Luca. „Und ich Witzbold wollte dich damit
beeindrucken, dass ich unbedingt Model werden möchte."
„Ich bin nicht berühmt!", widerspreche ich, obwohl mir
das ziemlich schwer fällt. „Kein Schwein kennt meinen
Namen."
Luca zieht eine Flappe. „Aber deine Stimme ist ständig im
Radio und im Fernsehen zu hören", jammert er. „O Mann,
bin ich neidisch!"
„Worauf? Das sind doch alles nur kleine Jobs. Aber demnächst spiele ich vielleicht die Hauptrolle in einem Fernsehfilm."
„Echt? Verdammte Kacke!"
Er will alles über den Film wissen, aber sehr viel kann ich
ihm nicht darüber berichten. Am Wochenende hat mir
Sven Breuer von der Werbeagentur gemailt und mir Einzel-
heiten über das Casting verraten. Außerdem kündigte er
an, dass mir sein Freund das Drehbuch zuschickt. Wenn ich

mehr über meine Rolle wüsste, hätte ich größere Chancen beim Casting. Allerdings ist heute Mittwoch, und das Casting findet schon am nächsten Montag statt. Damit ich mich richtig darauf vorbereiten kann, sollte das Drehbuch möglichst bald bei mir eintrudeln.

Luca und ich spazieren durch die Altstadt. Tja, so schnell kann das gehen: Gestern hab ich ihn noch am Telefon abgewürgt – heute verabreden wir uns zum Bummeln, Quatschen und Eisessen.

Schuld daran sind Adrian und Ellen. Ich wollte keinen weiteren Nachmittag damit verschwenden, nicht an die beiden zu denken. Darum hab ich Luca ohne Zögern ein Treffen vorgeschlagen, als er kurz nach dem Mittagessen anrief. Er war so baff, dass er fast ins Stottern geriet.

Seit einer halben Stunde sind wir nun schon unterwegs. Zunächst haben wir hauptsächlich über Lucas Lieblingsthema geredet: Luca. Er erzählte so ziemlich alles über sich, was es zu erzählen gibt.

Er ist sechzehn und letztes Jahr mit mittlerer Reife vom Gymnasium abgegangen, weil er sich nur noch um seine Karriere als Model kümmern möchte. Seitdem jobbt er im Eiscafé seines Onkels und verschickt eifrig seine Fotos an Model-Agenturen und Zeitschriften – bislang ohne jeden **98** Erfolg. Trotzdem hält er sich weiterhin für den schönsten

Typen nördlich von Sizilien, wo seine Eltern herkommen. Natürlich starren ihn alle Mädels an, die unsere Wege kreuzen, was Luca mal mit hochmütiger Miene und mal mit einem verschmitzten Lächeln quittiert. Jedenfalls entgeht ihm keiner der unzähligen Blicke, die ihm zugeworfen werden.

„Ist das nicht furchtbar nervig, dauernd angestarrt zu werden?", frage ich ihn, nachdem ihm eine aufgetakelte Blondine irgendwo zwischen zwanzig und sechzig zugezwinkert hat.

„Ich wäre noch genervter, wenn mich niemand anstarren würde", gesteht er. „Bist du nicht ein bisschen stolz darauf, dass ich mich ausgerechnet mit dir treffe, obwohl sich alle Düsseldorfer Mädchen um mich reißen?"

„Du dämlicher, eitler Schwätzer!", zische ich. „Du bist ja noch eingebildeter als ich!"

„Genau darum willst du unbedingt meine Freundin werden, stimmt's?"

„Arrogantes Arschloch!"

Da greift seine rechte Hand nach meiner linken und drückt sie. „Sorry, ich rede Müll!", murmelt er. „Soll nicht wieder vorkommen."

„Wieso nicht? Deinen Müll höre ich mir lieber an als den von den Jungs aus meiner Klasse."

99

„Du liebst mich also?"

Ich muss lachen. Er auch. So lange, dass es ziemlich peinlich wird. Meine Hand lässt er dabei nicht los. Wieso nicht? Weil ich seine auch nicht loslasse?

Und dann schweigen wir. Noch länger und noch peinlicher. Und gehen immer noch Hand in Hand.

Unglaublich, was mir alles im Schädel herumschwirrt. Klar, vor allem Adrian! Seine Grübchen sehe ich vor mir und höre, wie er meinen Namen sagt. Er rast auf seinem Fahrrad meine Gehirnwindungen entlang. Und dann liegt er neben Ellen auf der großen Wiese im Rheinpark. Im Hintergrund fährt ein riesiges Schiff den Rhein hinab. Es trägt den Namen Ludwig. Und schon taucht Mutter auf und erwürgt ihren Freund mit seiner scheußlichsten Krawatte.

„Pass auf!"

Luca reißt mich am Arm.

„Spinnst du?", fauche ich ihn an.

„Du wärst beinahe voll gegen diesen Abfalleimer hier gelaufen", erklärt Luca. „Was ist denn los?"

„Nichts. Ich hab nur geträumt."

„Irrtum: Das ist kein Traum!" Luca grinst mich an. „Du gehst wirklich mit mir zusammen durch die Altstadt. Ist doch 'n geiles Gefühl, oder?"

Luca hat gar nicht so unrecht. Irgendwie genieße ich tatsächlich die neidischen Blicke, die mir andere Mädchen zuwerfen. Schade, dass uns Adrian nicht entgegenkommt! Oder Britta, die grandiose Diva unserer Theater-AG.

Mir fällt ein, dass Luca mich gestern nach der Schule abholen wollte und mich nur deshalb nicht angequatscht hat, weil ich angeblich so geknickt gewirkt habe. Ich spreche ihn darauf an und frage anschließend: „Hab ich wirklich so traurig aus der Wäsche geguckt?"

„Allerdings. Du hast ausgesehen, als kämst du gerade von 'ner Beerdigung."

„Da war ich auch."

„Hä? Wen hast du denn beerdigt?"

Adrian. Mindestens hundert Mal ist er in den letzten Tagen für mich gestorben. Aber genauso oft ist er auch wieder von den Toten auferstanden. Sollte ich ihn nicht endlich abhaken und ihn Ellen überlassen und mich voll und ganz auf Luca konzentrieren?

Nein, unmöglich!

„Warum warst du denn so traurig?", will Luca wissen und fügt dann sofort hinzu: „Schon gut, behalt's für dich! Du magst ja keine neugierigen Fragen, stimmt's?"

„Stimmt."

Wir lächeln uns an. Und weil ich Luca auf einmal so wahnsinnig nett finde, entschließe ich mich, ihm beinahe die Wahrheit zu sagen.

„Na ja, ich war ein bisschen von der Rolle, weil es Ärger bei uns gibt. Meine 16-jährige Schwester Sophie ist in unseren Nachbarn verknallt. Aber jetzt hat sich anscheinend auch Ellen in ihn verliebt, meine 19-jährige Schwester. Du kannst dir vorstellen, dass Sophie total fertig ist!“

„Hm. Dieser Nachbar muss ja ein Supertyp sein, wenn ihm alle Mädels zu Füßen liegen. Was ist denn so Besonderes an ihm?“

Was soll ich darauf antworten? Ehrlich gesagt hab ich keine Ahnung, warum ich Herzklopfen kriege, sobald ich Adrian sehe. Und wieso ich ständig an ihn denken muss. Und warum ich komplett durchdrehe, wenn er eine andere Frau küsst. Ich weiß genauso wenig, warum ich Adrian liebe, wie ich weiß, warum ich Luca nicht liebe. Das alles ist völlig verrückt – das ist das Einzige, was ich über meine große Liebe weiß.

Plötzlich bleibt Luca stehen und mustert mich stirnrunzelnd. „Eins kapier ich nicht: Warum bist du denn so traurig, wenn deine Schwestern ein Problem haben?“

O nein: Mir steigen Tränen in die Augen! Dieser blöde Adrian! Warum lasse ich mich von ihm so fertig machen?

102 Blitzschnell lasse ich Lucas Hand los und werfe einen Blick auf die Uhr. „Mist, ich muss abhauen. War ganz lustig mit dir! Ciao!"

Ich drehe mich um und mache einen Schritt, doch Luca hält mich am Ärmel fest.

„Nix da! Ohne Autogramm lass ich dich nicht abhauen, du Superstar!"

„Okay, hier hast du eins!"

Ich will ihm einen Schmatzer auf die Backe drücken. Aber irgendwie kommen mir seine Lippen in die Quere. Sie sind sehr weich ...

„Du hast was?"

Carlotta und Muriel kriegen sich nicht mehr ein, als ich ihnen am nächsten Morgen auf dem Schulhof von dem Kuss
erzähle. Eigentlich wollte ich kein Wort davon verraten,
aber meine Eitelkeit war stärker. Ja, ich geb's zu: Ich bin
wirklich eine verdammte Angeberin!

„Eigentlich war es gar kein richtiger Kuss, sondern mehr
ein Unfall", behaupte ich. „Unsere Lippen sind sich nur
rein zufällig begegnet."

„Scheiße!", ärgert sich Muriel. „Warum passiert mir nicht
auch mal so 'n geiler Unfall?"

„Bist du denn jetzt Lucas Freundin?", will Carlotta wissen.

„Blödsinn! Ich hoffe sogar, dass ich ihn nie mehr wieder
sehen werde."

„Wieso?"

Na wieso wohl? Schon eine Sekunde nach dem Kuss war
ich total entsetzt über mich. Was Luca jetzt wohl von mir
denkt? Dass ich in ihn verknallt bin? Da würde er sich aber

mächtig irren! Ich liebe nach wie vor Adrian – ganz egal, ob es zwischen ihm und Ellen gefunkt hat oder nicht. Meinetwegen könnte er sich auch noch in Sophie, meine Mutter und meine beiden Omas vergucken, und das würde trotzdem kein bisschen an meinen Gefühlen für ihn ändern.

Ich hab plötzlich keine Lust mehr, mit meinen Freundinnen über Luca zu reden. Aber die beiden lassen nicht locker. In den großen Pausen löchern sie mich ununterbrochen mit dämlichen Fragen und wollen immer wieder, dass ich ihnen den Kuss schildere. Wenn es ein Video davon gäbe, würden sie es sich garantiert hundert Mal hintereinander angucken – in Zeitlupe!

Weil ich auf dem Nachhauseweg meine Ruhe haben will, schalte ich nach der letzten Stunde den Turbo ein und stürme aus dem Klassenzimmer.

„Bist du mit Luca verabredet?", schreit Muriel hinter mir her.

„Genau!", brülle ich und rase durchs Treppenhaus.

Während ich über den Schulhof haste, werfe ich einen Blick zurück. Nein, ich werde nicht verfolgt. Erleichtert setze ich meinen Weg fort. Doch auf einmal trifft mich fast der Schlag: Draußen vor dem Tor wartet tatsächlich Luca auf mich!

Prompt verwandle ich mich in einen Trauerkloß. Meine Schritte verlangsamen sich, ich sacke in mich zusammen und mache ein Gesicht, als wäre meine ganze Familie heute Morgen an vergifteten Rühreiern gestorben. Mit glasigem Blick stiere ich geradeaus und nehme nichts um mich herum wahr – leider auch nicht einen kleinen Jungen aus dem fünften Schuljahr, dem ich in die Hacken trete.

„Pass doch auf, du blöde Sau!", schreit er mich an.

Am liebsten würde ich ihm eins seiner niedlichen Öhrchen abreißen, aber das würde absolut nicht zu meiner Rolle passen. Schließlich will ich nicht von Luca angesprochen werden. Das hat er sich letztens auch nicht getraut, als ich so trübsinnig aus der Schule gekommen bin. Ob es diesmal auch klappt?

Mir klopft das Herz bis zum Hals, als ich an ihm vorbeischlurfe. Dabei muss ich an seine Lippen denken, die nicht halb so weich sind wie meine Knie in diesem Moment. Dieser verdammte Kuss!

Sieht ganz so aus, als hätte ich Luca mit meiner Show überzeugt. Jedenfalls macht er sich nicht bemerkbar, während ich in seiner Nähe bin. Trotzdem beschließe ich, meine Rolle auf dem ganzen Heimweg durchzuhalten. Wer weiß, vielleicht verfolgt er mich ja bis zur Haustür. Abgesehen davon macht mir die Schauspielerei richtig Spaß. Wetten, dass niemand bei dem Casting eine Chance gegen mich hat?

Erst oben in unserer Wohnung richte ich meinen Oberkörper wieder auf und bringe Leben in mein Mienenspiel.

„Na, wie war's in der Schule?"

Meine Lieblingsfrage! Diesmal wird sie von Ludwig gestellt, der mit dem Kochlöffel in der Hand aus der Küche kommt.

„Super!", juble ich. „Ich hab die ganze Zeit geklatscht vor Begeisterung. So ein Mist, dass wir nicht bis abends um zehn bleiben dürfen!"

Darauf reagiert Ludwig mit einem süßsauren Lächeln und einem schnellen Themenwechsel. „Rate mal, was es gleich zu essen gibt, Rebekka!"

„Tomaten."

Er schnuppert. „Riecht man das?"

„Nein, man sieht es – an Ihrem Schnäuzer."

„An deinem", verbessert er mich.

„Ich hab doch gar keinen", scherze ich, doch Ludwig geht nicht darauf ein. Während er ein paar Tomatenstücke aus seinen Barthaaren pult, fragt er betrübt: „Warum willst du mich denn unbedingt siezen? Deine Schwestern duzen mich doch auch."

„Meine Schwestern machen noch tausend andere Dinge,

die ich niemals tun würde", erkläre ich und marschiere an Ludwig vorbei in die Küche.

Zwei Minuten später sitzen wir am Tisch und essen Nudeln mit Tomatensoße. Hoffentlich verschont mich Mutters Freund mit tiefsinnigen Gesprächen darüber, wie ich die Trennung von Paps verkrafte. Das Dumme ist, dass ich diesen Schleimer eigentlich ganz nett finde, was ich jedoch niemals zugeben würde. Vor allem nicht Sophie gegenüber. Oder mir selbst.

Ich hasse es, dass Mutter so schnell nach Vaters Abgang einen Ersatzmann gefunden hat! Vermisst sie diesen Blödmann nicht genauso furchtbar wie wir? Seit sie mit Ludwig zusammen ist, verliert sie kaum noch ein Wort über Paps.

„Schmeckt echt gut!", lobe ich Ludwig, weil mir unser Schweigen langsam peinlich wird. „Viel besser als mit der Soße aus der Packung."

„Hm."

„Wieso habt ihr euch letztens angebrüllt, Sie und Mutti?", frage ich plötzlich, weil ich meine Neugier nicht zügeln kann.

Ludwig tut so, als hätte ich mit dem Kühlschrank geredet. Ich lasse trotzdem nicht locker.

„Wieso habt ihr euch letztens angebrüllt, du und Mutti?"

Das du betone ich so stark, dass es schon fast lächerlich wirkt. Ich muss grinsen. Ludwig auch.

„Ziemlich plump, dein zweiter Versuch", meint er. „Aber eine Antwort kann ich dir immer noch nicht geben. Ich hab nämlich keine Ahnung, was den Streit ausgelöst hat. Es ging um irgendeine Kleinigkeit. Und dann kam eins zum andern. Und am Ende bin ich halt aus der Wohnung gestürmt und hab die Tür hinter mir zugeknallt."

„Immerhin wusste ich bis dahin gar nicht, dass du richtig laut brüllen kannst."

„Da musst du mich mal im Unterricht erleben", meint er schmunzelnd und erzählt mir dann von seinen behinderten Schülern. Diese Geschichten hab ich zwar schon öfter gehört, aber wozu bin ich Schauspielerin? Ludwig bildet sich bestimmt ein, dass ihm noch nie im Leben jemand so aufmerksam zugehört hat wie ich bei diesem Mittagessen.

Es klingelt. Ludwig will aufstehen, aber ich bin schneller und gehe in den Flur. Falls das Luca sein sollte, muss ich ihn unbedingt abwimmeln.

„Hallo?", rufe ich in die Sprechanlage.

Es klopft an der Wohnungstür. Ich werfe einen Blick durch den Spion.

Aaaah!

Ein eisiger Schauer läuft mir über den Rücken. Mit zitternden Fingern greife ich nach der Klinke und lasse sie sofort wieder los. Nein, ich will nicht wie ein Häufchen Elend vor Adrian stehen.

„Mach auf, Rebekka!"

Niemand spricht meinen Namen so schön aus wie mein geliebter Nachbar. Mit einem Ruck öffne ich die Tür.

„Ja?"

Ich hab keine Ahnung, ob ich knallrot oder leichenblass bin. Ich weiß nur, dass ich nicht normal aussehe.

„Stör ich gerade?"

Die Grübchen ...

„Hä?", mache ich. Und dann noch einmal: „Hä?"

Mensch, reiß dich zusammen, du Vollidiotin!

„Hast du gerade Hausaufgaben gemacht?"

„Hausaufgaben?", wiederhole ich dermaßen schwachsinnig, als hätte ich das Wort noch nie gehört. „Nein, Mittagessen. Nudeln mit Tomatensoße. Selbst gemacht."

„Die Nudeln?"

„Nein, die Soße. Nicht von mir. Von Ludwig. Mutters Freund. Ludwig."

Scheiße! Ich rede nur Müll!

„Hier, bitte sehr." Adrian hält mir ein Taschenbuch hin.

„Gedichte von Hölderlin. Hat mir Ellen geliehen."

„Ellen?"

„So heißt doch deine älteste Schwester, oder?" Adrians Lächeln verschwindet. „Sag mal, nimmst du Drogen?"

Noch nicht, aber vielleicht sollte ich schleunigst damit anfangen. Beruhigungstabletten zum Beispiel.

„Nein, keine Drogen. Aber Hausaufgaben."

Jetzt gibt Adrian ein „Hä?" von sich.

Mir ist da eine Idee gekommen. „Kannst du dir morgen ein Gedicht anhören? Hölderlin. Ich muss es in der Schule aufsagen."

„Okay, komm hoch. Ab drei bin ich da."

„Nein, komm runter", erwidere ich schnell. „In meinem Zimmer bin ich nicht so nervös und – und äh ..."

Er nickt. „Gut, morgen um halb vier bin ich da. Du und Hölderlin – ich bin schon sehr gespannt."

Und ich erst ...

Er drückt mir das Buch in die Hand, sagt „Ciao!" und verschwindet die Treppe hinauf. Ich lausche so lange seinen Schritten, bis nichts mehr von ihnen zu hören ist.

Dann schließe ich die Tür, lehne mich dagegen und atme ganz tief durch.

„Wer war denn da?", ruft Ludwig aus der Küche.

„Adrian."

„Welcher Adrian?"

„Mein Adrian!"

Höchst merkwürdig, die Gedichte von diesem Friedrich Hölderlin ...

Den Rest des Nachmittags und den Abend verbringe ich damit, in dem Buch zu blättern, das Ellen Adrian ausgeliehen hat. Von den meisten Gedichten verstehe ich kein Wort. Aber irgendwie klingen sie wunderschön, vor allem, wenn ich sie laut lese.

„Was faselst du dir denn da für einen Mist zusammen?", brummt Sophie, als sie gegen halb zehn von ihrer Freundin Charlotte zurückkommt. „Ich hab an der Tür gelauscht. Quatschst du jetzt schon mit dir selbst, weil dir sonst keiner zuhört?"

„Das war ein Gedicht", erkläre ich und schwenke das Buch. „Schon mal was von Hölderlin gehört?"

„Allerdings! Sechs!"

„Sechs was?"

„Ich hab mal 'ne Sechs gekriegt wegen diesem Arsch!", regt sich Sophie auf. „Da ging's um Birnen und Rosen und

Schwäne und so 'n Zeug. Total durchgeknallt, der Typ! Wetten, dass er Ecstasy geschluckt hat, ehe er diesen Scheiß geschrieben hat?"

Es hat keinen Sinn, mit Sophie über Gedichte oder Romane zu reden. Sie liest nur, was sie unbedingt lesen muss, ihr Lieblingsbuch ist das Telefonbuch.

Zu gern hätte ich ihr kurz vorm Einschlafen davon erzählt, dass Adrian morgen hier in diesem Zimmer sitzen wird – zum allerersten Mal! Meine Liebe zu ihm hab ich ihr bereits gestanden, aber Sophie hielt das bloß für Spinnerei. Sie glaubt mir sowieso kaum ein Wort, weil sie mich für eine ausgekochte Schwindlerin hält. Dabei bin ich das gar nicht. Jedenfalls nicht immer.

Auch am nächsten Vormittag in der Schule lege ich das Hölderlin-Buch nur aus der Hand, wenn es sich absolut nicht vermeiden lässt. Zum Glück werde ich in den Pausen nicht von Muriel und Carlotta gestört. Muriel hat Bauchschmerzen. Und Carlotta muss für die Mathearbeit büffeln, die wir in den letzten beiden Stunden schreiben.

Ich gebe meine Arbeitsblätter als Erste ab und darf dann verschwinden. Sogar auf dem Heimweg stecke ich meine hässliche Nase in das Hölderlin-Buch. Und endlich, an einer roten Ampel, stoße ich auf das Gedicht, das ich heute Nachmittag gerne für Adrian aufsagen möchte.

Es hat nur zwei Strophen und heißt „Menschenbeifall". Ein bisschen verworren finde ich es zwar schon, aber es hat einen tollen Anfang, in dem das Wort Liebe vorkommt. Und ein Ende, das schrecklich eingebildet klingt und deshalb prima zu mir passt:

An das Göttliche glauben
Die allein, die es selbst sind.

Niemand ist in der Wohnung, als ich nach Hause komme. Ich hole mir einen Joghurt aus dem Kühlschrank und verkrümle mich in mein Zimmer, um das Gedicht auswendig zu lernen. Das ist gar nicht so einfach, weil kein einziger Reim drin vorkommt. Für die zwei Strophen brauche ich etwa zehn Minuten. Dabei laufe ich ständig im Zimmer auf und ab.

Schließlich lasse ich mich aufs Bett fallen, starre hinauf zur Decke und stelle mir vor, wie Adrian in seinem Schaukelstuhl sitzt und einen Blick auf die Uhr wirft. Noch eine Stunde, dann gehe ich runter zu Rebekka! Ob er das gerade denkt? Was würde ich nicht dafür geben, mich mal einen Tag lang in seinem Hirn zu verkriechen und zu checken, was ihm so alles durch den Kopf geht ...

Ich schließe die Augen und träume meinen Lieblingstraum.

Was darin vorkommt, ist sicher nicht schwer zu erraten. Adrian und ich natürlich. Und jede Menge Gefühle. Zärtlichkeiten. Küsse.

Total kitschig, ich weiß. Aber irgendwann wird der Kitsch Wirklichkeit. Da kann jeder Gift drauf nehmen. Und wenn nicht – na ja, dann werde ich halt Gift nehmen. Oder nach Hollywood auswandern. Oder mir einen anderen Adrian suchen. Oder nach Hollywood auswandern und mir einen anderen Adrian suchen.

„Na, du kleine Schlafmütze?

Geschockt springe ich vom Bett. Adrian steht mitten im Zimmer und grinst mich an. Ich muss eingeschlafen sein.

„Na, wie sieht's aus mit Hölderlin?"

„Gut", antworte ich. „Wie bist du denn hier reingekommen?"

„Durchs Fenster geklettert."

„Echt?"

Adrian lacht. „Quatsch! Deine Mutter hat mich reingelassen."

Nicht zu fassen, was für ein dämliches Zeug ich in Adrians Gegenwart immer von mir gebe!

Er sieht sich um. „Hier wohnst du also zusammen mit Sophie?"

„Ja. Ellen hat ein eigenes Zimmer."

„Ich weiß."

Was weiß er denn sonst noch über sie? Dass sie ihn liebt? Na warte, heute werde ich dich ausquetschen, Adrian! Ehe du dich aus diesem Zimmer verziehst, hab ich rausgekriegt, ob zwischen dir und Ellen was läuft oder nicht.

Fragt sich bloß, wie ich anfangen soll.

Adrian hat sich inzwischen mit verschränkten Armen aufs Fensterbrett gehockt und schaut mich erwartungsvoll an.

„Hi!"

Sophie kommt rein, feuert die Schultasche unter ihren Schreibtisch und wirft Adrian einen gereizten Blick zu.

„Tag, Sophie!", begrüßt er sie freundlich.

Zu freundlich für meinen Geschmack.

„Tschüs, Sophie!", zische ich, worauf meine Schwester nur eine Flappe zieht und stöhnend aufs Bett sinkt.

„Was für ein beschissener Tag!", ärgert sie sich. „Muss unser Deutschlehrer eigentlich dauernd nach Schweiß stinken? Anscheinend hat dieser Trottel noch nie was von Deostiften gehört!"

Nanu, das findet Adrian komisch? Ein breites Grinsen erscheint auf seinem Gesicht. Ich könnte ihm eine reinhauen! Und Sophie natürlich auch. Sie plappert weiter über die Schule, ohne sich von mir unterbrechen zu lassen. Da entschließe ich mich dazu, sie einfach am Kragen zu packen und aus dem Zimmer zu schleifen. Wenn's drauf ankommt, bin ich zehnmal stärker als sie. Doch kaum habe ich einen Schritt auf sie zu gemacht, stürmt Ellen ins Zimmer.

„Was willst du denn hier?", ruft sie Adrian zu.

Unglaublich, wie sie ihn anstrahlt! Ihre Augen haben sich in zwei Autoscheinwerfer verwandelt. Und Adrian? Der bleibt ganz locker. Er nickt ihr lässig zu und murmelt: „Hallo! Ich bin nur hier, weil ich mir ein Hölderlin-Gedicht von Rebekka anhören möchte."

Ellen glotzt mich so entgeistert an, als hätte ich mich soeben in Hölderlins Skelett verwandelt. Sie öffnet den Mund, um irgendeinen ätzenden Spruch loszulassen, aber in diesem Moment wird die Tür aufgerissen – und eine komplett aufgedrehte Carlotta erscheint auf der Bildfläche.

„Muriel hat ihre Tage!", brüllt sie so laut, dass alle erschrocken zusammenzucken. „Vor 'ner halben Stunde ging's los! Sie hat so wahnsinnige Angst zu verbluten. Sollen wir sie besuchen und ihr dabei zugucken, wie sie die Tampons wechselt?"

O nein – bin ich denn hier in einem Irrenhaus?

„Lass mich mit den Tampons in Ruhe!", fauche ich Carlotta an. „Hier geht's um Hölderlin!"

Meine Freundin zieht eine Augenbraue in die Höhe. „Was soll das sein?"

„Ein Dichter, du blöde Kuh! Ich will Adrian ein Gedicht von ihm aufsagen. Das da ist er übrigens."

Ich zeige zum Fenster.

„Das ist Hölderlin?", fragt Carlotta.

„Nein, Adrian!"

„Und wer ist das hier?", meldet sich Sophie zu Wort.

Ich drehe mich um und schaue zur Tür.

Luca ...

Bin ich denn wirklich wach? Oder liege ich noch auf dem Bett und träume? Das darf doch wohl nicht wahr sein, dieser Menschenauflauf in unserem Zimmer! Wer schneit als Nächstes hier rein? Jennifer Lopez und Brad Pitt?

Mit einem verzückten Grinsen starrt Sophie Luca an und wiederholt dann: „Wer ist das?"

„Rebekkas Freund", behauptet Carlotta.

Sophie fällt fast in Ohnmacht vor Erstaunen. Aber auch Ellen und Adrian mustern mich reichlich verdattert. Anschließend werfen sie sich einen höchst merkwürdigen Blick zu – irgendwie verschwörerisch und belustigt zugleich.

Vor Eifersucht rast mein Herz drauflos. Gleichzeitig bin ich stinksauer darüber, dass sich die beiden heimlich über mich lustig machen. Sie glauben wohl nicht, dass sich der obercoole, gut aussehende Luca in die kleine Rebekka mit der

Giga-Nase verknallen könnte.

„Stör ich gerade?", fragt Luca und kommt langsam auf mich zu.

„Du störst nie", sage ich lächelnd, falle Luca um den Hals und küsse ihn auf den Mund.

Wo bleibt der Applaus?

„Was ist mit dem Gedicht?", will Adrian wissen. „Ich hab nicht mehr viel Zeit."

Ich lasse Luca los, räuspere mich und denke nach. Und denke weiter nach. Und denke und denke – aber nicht an Hölderlin. Die zwei Strophen sind völlig aus meinem Gedächtnis verschwunden.

Sophie lässt ein lautes Gähnen hören. „Nun fang endlich an mit deiner Show!"

Merkt sie denn nicht, dass wir schon mittendrin sind?

Entschuldigend breite ich die Arme aus und murmle: „Tut mir Leid, Leute! Ich muss jetzt schnell weg."

„Wohin?", fragt Ellen.

„Aufs Klo."

Als ich mit Riesenschritten zur Tür marschiere, schreit Carlotta: „Kriegst du gerade deine Periode?"

Nein, nur einen ganz normalen Heulkrampf.

17.
Kapitel

Das Drehbuch ist da!

Wurde auch allerhöchste Zeit. Schon am Montag, also übermorgen, steigt das Casting in Köln. Um Punkt fünf muss ich bei einer Produktionsfirma in der Nähe vom Dom sein. Wenn nichts schief geht, dürfte dort der Startschuss zur großen Filmkarriere von Rebekka Schwabach fallen.

Judith heißt das Mädchen, das ich spielen soll. Es hat Riesenzoff mit seinen Eltern und noch mehr Krach mit seinen Geschwistern Marc und Lydia. Marc ist zehn und ein kleiner Teufel, der Judith von früh bis spät ärgert. Die 17-jährige Lydia ist eine grauenvolle, totale Streberin und hält ihre Schwester für eine Vollidiotin.

Judith steigert sich immer mehr in den Hass auf ihre Geschwister hinein. Für alles, was in ihrem Leben schief geht, macht sie Marc und Lydia verantwortlich. Und schließlich kommt sie auf die Idee, die beiden umzubringen. Auf einer Bergwanderung will sie ihre Geschwister in die Tiefe stoßen.

120 Ungefähr in der Mitte des Drehbuchs schildert Judith einer

Freundin, warum sie ihren Bruder und ihre Schwester auf den Tod nicht ausstehen kann. Diesen langen Monolog will ich auswendig lernen und beim Casting vortragen.

Es macht mir kein bisschen Mühe, mich in diese Judith hineinzuversetzen. Seit gestern hasse ich Sophie und Ellen wie verrückt.

Wie gemein von Sophie, dass sie mich mit Adrian nicht allein gelassen hat! Wäre sie nicht ins Zimmer gekommen, und hätte sie nicht stundenlang über die Schule gequatscht, wäre ich mit dem Hölderlin-Gedicht längst fertig gewesen, als die anderen tausend Leute auftauchten.

Und Ellen hätte ich gestern Abend fast die Augen ausgekratzt. Schwärmt die dumme Kuh ausgerechnet mir was von Adrian vor!

„Ist das nicht ein unheimlich netter Typ?", musste ich mir anhören, als ich mit Mutter und Ludwig vor dem Fernseher saß, in dem ein Film mit meiner Lieblingsschauspielerin Joan Crawford lief. „Ich wusste ja gar nicht, wie belesen er ist. Ehrlich gesagt, dachte ich, Fahrradkuriere sind irgendwie – na ja –" Mit leuchtenden Augen stierte sie hinauf zur Decke. „Adrian ist jedenfalls ganz anders."

Ach nee! Am liebsten hätte ich meiner Schwester die Fernbedienung in den Mund gestopft, damit sie die Klappe hält.

„Guten Morgen!", tönt es verschlafen aus der anderen Ecke des Zimmers.

Überrascht hebe ich die Augen vom Drehbuch und schaue hinüber zu Sophies Bett. Unfassbar: Es ist Samstag und erst halb zwölf und Sophie ist schon wach!

Sie blinzelt in meine Richtung. „Machst du Aufgaben?"

„Nein, ich lerne einen Text."

„Wieder so 'n Scheißgedicht?"

Da springe ich vom Stuhl hoch und kriege einen Wutanfall. Alles schreie ich aus mir raus, was mich an Sophie in den letzten Monaten gestört hat: ihr Gequalme, die laute Musik, das Chaos in ihrer Zimmerhälfte, ihre Faulheit und ihr Geschnarche. Bereits nach den ersten drei Sätzen hat sie die Decke über den Kopf gezogen. Mir doch egal, wenn sie mir nicht zuhört! Schließlich übe ich nur für die Rolle.

Nach etwa fünf Minuten habe ich mich heiser geschrien.

„Okay, ich bin fertig!", sage ich und setze mich wieder an meinen Schreibtisch.

„Arschloch!", zischt Sophie. „Ich red nie mehr ein Wort mit dir."

Das hält sie tatsächlich gnadenlos durch – etwa dreißig Sekunden lang.

„Verrate mir doch endlich, wo du diesen Megatypen kennen gelernt hast! Wie heißt er? Luca? Toller Name! Dieser

Kerl ist bald in jeder Werbung zu sehen, wetten? Echt Wahnsinn, wie der aussieht! Bist du wirklich mit ihm zusammen?"

Das frage ich mich auch ...

Gestern habe ich nicht mehr mit ihm geredet. Ich bin aufs Klo verschwunden und kam nicht mehr zurück. Irgendwann klopfte meine Mutter an die Tür und fragte besorgt, ob alles in Ordnung wäre.

Ich sagte mit übertrieben leidender Stimme: „Die sollen alle abhauen!"

Mutter sorgte dafür, dass sich Luca, Adrian und Carlotta aus dem Staub machten. Als ich zurück in unser Zimmer kam, war nur noch Sophie drin. Sie löcherte mich sofort mit Fragen. Meine Antwort bestand darin, dass ich den Kopfhörer aufsetzte und Madonna hörte.

Und jetzt fängt Sophie schon wieder an zu nerven.

„Ist Luca nicht zu alt für dich? Der ist doch bestimmt schon achtzehn, oder? Hat er schon versucht, dir an die Wäsche zu gehen? Sag Bescheid, wenn du ein paar Kondome brauchst."

„Lass mich in Ruhe!", knurre ich, schnappe mir das Drehbuch und verlasse das Zimmer.

Im Flur klingelt das Telefon. Das ist garantiert Paps, der sich schon seit Ewigkeiten nicht mehr gemeldet hat.

123

„Schwabach", melde ich mich.

„Hi, hier ist Luca. Kann ich mal Rebekka sprechen?"

„Nein, die ist gestern nach Australien geflogen."

Luca kichert. „Was will sie denn da? Kängurus dressieren?"

„Genau. Na, wie geht's?

„Kommt drauf an, ob du gleich mit ja oder nein antwortest."

„Nein."

„Du kennst ja noch gar nicht die Frage."

„Lass hören!", seufze ich.

„Sind wir nun zusammen oder nicht?"

„Ach du Scheiße!"

„Du hast mich doch gestern geküsst."

„Na und?"

„Und dieses schwarzhaarige Mädchen hat behauptet, ich wäre dein Freund."

„Das war Carlotta", erkläre ich ihm. „Und die hat auch schon mal behauptet, dass sie von Außerirdischen entführt wurde."

„Du bist blöd!"

„Ich weiß."

„Sollen wir uns trotzdem heute treffen?", schlägt er vor.

„Wie wär's um drei im Hofgarten? Am Büdchen beim großen Spielplatz."

„Hm."

„Kommst du?"

„Mal sehen."

„Okay, dann lass es bleiben!"

Er legt auf.

„Ärger mit deinem Freund?", will Ellen wissen, die gerade aus dem Badezimmer gekommen ist.

„Geht dich das was an?", frage ich zurück.

„Hat er denn ein bisschen Hirn in der Rübe? Oder ist er einfach nur schön?"

„Hast du denn ein bisschen Hirn in der Rübe? Oder bist du einfach nur hässlich?"

Ellen dreht sich um, rauscht ab in ihr Zimmer und schmeißt die Tür hinter sich zu.

„Du eingebildete Ziege!", brülle ich, so laut ich kann, worauf meine Mutter aus der Küche ruft: „Beschimpfst du dich selbst, Rebekka?"

„Ich hasse euch! Habt ihr gehört? Ihr könnt mich mal, verdammte Drecksfamilie! Irgendwann bring ich euch um!"

„Viel Spaß dabei!", erwidert Mutter gelassen. „Aber vorher hilfst du mir beim Kochen, sonst kriegst du gleich nichts zu futtern."

Lachend gehe ich in die Küche und ersteche Mutter mit einer Stange Porree.

125

Ich hasse warten!

Mit einer Dose Cola in der Hand gehe ich vor dem Büdchen im Hofgarten auf und ab und halte Ausschau nach Luca. Wenn er nicht pünktlich um drei hier auftaucht, verschwinde ich zum Rheinpark. Dort trifft sich gerade Ellen mit Adrian. Wenn ich die beiden vor mir sehe, habe ich das Gefühl, ein Panzer würde in meinem Bauch rumkurven.

Möglich, dass die beiden heute zum ersten Mal zusammen knutschen werden. Beim Frühstück habe ich Ellen rundheraus gefragt, ob Adrian eigentlich gut küssen kann. Erst zuckte sie mit den Schultern. Dann gestand sie mir, dass sie sich noch nie berührt hätten. Klar war ich einigermaßen erleichtert. Aber wer weiß, vielleicht presst Ellen genau in diesem Moment ihre Lippen auf Adrians Mund. Und heute Abend liegen die beiden zusammen im Bett.

126 „Wie heißt du?"

Ein grauhaariger Mann quatscht mich an, der an einem der drei Stehtische vor dem Büdchen seinen Kaffee trinkt.

„Esmeralda", antworte ich ohne stehen zu bleiben.

„Aha."

Seit ich hier rumlaufe, glotzt mir dieser Idiot auf die Beine. Was findet er denn so toll an meinen dürren Stelzen? Weil es so heiß ist, hab ich mir einen lila Minirock von Sophie ausgeliehen. Dazu trage ich ein weißes T-Shirt und die schwarzen Turnschuhe, aus denen meine Füße einfach nicht rauswachsen wollen.

„Wartest du auf jemanden?", fragt der aufdringliche Kerl.

„Reden Sie mit meinen Knien oder mit mir?", frage ich rotzfrech zurück. „Wenn Sie mit mir reden, sollten Sie mir ins Gesicht gucken. Das befindet sich etwas weiter oben."

Der Blödmann hebt die Tasse hoch, trinkt sie aus und knallt sie auf den Tisch. Dann dreht er mir den Rücken zu und stapft davon.

Inzwischen ist es Punkt drei, doch von Luca ist weit und breit nichts zu sehen. Er wird doch wohl nicht unser Date vergessen haben, oder?

Okay, zugegeben: Am Telefon war ich alles andere als nett zu ihm. Aber das hat im Grunde gar nichts mit ihm zu tun. Ich hasse mich selbst dafür, dass ich ihn schon wieder geküsst habe. So was Dämliches! Was soll er bloß von mir denken? Ich muss ihm dringend verklickern, dass ich ihm nur wegen Adrian und Ellen um den Hals gefallen bin.

Und für den Kuss in der Altstadt gibt's auch eine Erklärung: die beiden Mädchen, die uns beobachtet haben, als ich mich von Luca verabschiedete. Nur für sie habe ich die Kussnummer abgespult. Sie sollten vor Neid erblassen. Leider brachte mich der Kuss so durcheinander, dass ich ihnen danach keinerlei Aufmerksamkeit mehr schenkte.

Ich bin unmöglich!

Um ganz ehrlich zu sein, möchte ich mich auch mit Luca treffen, weil ich gerne wieder Hand in Hand mit ihm durch die Gegend schlendern würde. Das hat mir richtig Spaß gemacht. Nicht wegen der vielen Blicke. Ich höre Luca auch gerne zu, wenn er von sich selbst schwärmt. Niemand redet so über sich wie dieser Schönling.

Aber am allerbesten gefällt mir an ihm, dass er mich in Ruhe gelassen hat, als ich traurig aus der Schule kam. Die Jungs aus unserer Klasse kümmern sich einen Dreck darum, ob ich geknickt bin oder nicht. Die würden mich sogar nerven, wenn ich heulend auf der Erde liegen würde.

Ja, ich mag Luca!

Liebe ich Luca?

Ja. Nein. Irgendwie schon. Anders als Adrian. Aber den liebe ich mittlerweile ja auch anders als früher.

Scheißliebe!

Fünf nach drei. Langsam werde ich sauer. Wenn dieser Spinner nicht bald aufkreuzt, will ich nichts mehr mit ihm zu tun haben. Der arrogante Schnösel glaubt bestimmt, dass er sich bei jeder Verabredung ruhig um ein paar Stunden verspäten darf. Bei den doofen Tussis, mit denen er sich sonst trifft, kann er sich das anscheinend erlauben. Aber Rebekka Schwabach ist anders, du Trottel! Die gibt dir noch genau sechzig Sekunden, dann ist sie weg!

Zehn Minuten später latsche ich immer noch vor dem Büdchen rum. O Mann, bin ich geladen! Wenn Luca gleich kommt, kann er was erleben! Das wird die größte Wutszene, die ich jemals zum Besten gegeben habe. Die Kinder auf dem Spielplatz werden sich vor Schreck im Sandkasten einbuddeln.

Nach weiteren zehn Minuten bin ich den Tränen nahe. Wenn er sich bis halb vier nicht blicken lässt, zische ich ab, das schwöre ich mir! Was denkt sich dieser Arsch eigentlich? Nur noch drei Minuten, dann ist Luca für mich gestorben. Endgültig!

Viel zu langsam dreht der Minutenzeiger auf meiner Uhr seine Runden. Ein allerletztes Mal schaue ich mich nach allen Seiten um. Kein Luca in Sicht. Mit geballten Fäusten setze ich mich in Bewegung Richtung Jan-Wellem-Platz. **129**

Den Anblick von Ellen und Adrian, eng umschlungen auf einer Wiese im Rheinpark, will ich mir lieber ersparen.

In der Bahn schmolle ich auf dem hintersten Sitz vor mich hin. Mir ist schlecht. Verzweifelt versuche ich an was anderes zu denken als an Luca, aber das klappt einfach nicht. Selbst Adrian schafft es nicht, ihn aus meinem Hinterkopf zu verdrängen. Soll das etwa heißen, dass ich mich in das schöne Großmaul aus Sizilien verknallt habe?

Ach du Schande!

Weil ich unbedingt auf andere Gedanken kommen möchte, steige ich eine Haltestelle früher aus und mache einen Abstecher zu Muriel.

„Komm rein, Rebekka!", begrüßt mich ihre Mutter an der Wohnungstür im dritten Stock. „Carlotta ist auch da. Aber tut bitte nicht so, als hätte sich Muriel eine lebensgefährliche Krankheit zugezogen. Es ist nur die Periode, okay? Und daran kann man nicht sterben. Außer, man quatscht sich über das Thema Tampons zu Tode", fügt sie schmunzelnd hinzu, während wir durch den Flur gehen.

Muriel liegt im Bett, leichenblass und mit tiefen Rändern unter den Augen. Carlotta hockt auf dem Teppich und liest eine Pop-Zeitschrift.

„Na, wie geht's, Muriel?" Ich setze mich auf die Bettkante.

„Hat's sehr wehgetan?"

Sie schließt die Augen und öffnet sie wieder. Hat sie die Blutungen im Hals oder wieso kriegt sie kein Wort raus?

„Muriel ist sehr schwach", erklärt Carlotta in einem Ton, als wäre sie Oberärztin in einer miesen Krankenhausserie. „Aber allmählich kehren ihre Kräfte wieder zurück."

Wieder schließt Muriel die Augen, aber diesmal bleiben sie geschlossen.

„Ist sie – ist sie tot?", stammle ich voller Entsetzen.

Da grinst mich Muriel an und sagt: „Du bist nur gekommen, um dich über mich lustig zu machen, stimmt's?"

„Stimmt!", erwidere ich, lege den Kopf aufs Kissen, schmiege mein Gesicht an das von Muriel und versuche nicht zu weinen. Das klappt auch ganz gut. Zumindest in den ersten zehn Sekunden.

19.
Kapitel

Eine richtige Heulsuse bin ich geworden, jawohl!

Abends im Bett ärgere ich mich darüber, dass ich heute Nachmittag bei Muriel geflennt habe. Sie und Carlotta erkundigten sich sofort, was los ist, aber das wollte ich ihnen nicht sagen. Und ehrlich gesagt konnte ich es auch gar nicht. Hab ich wegen Luca geweint? Oder wegen Ellen und Adrian? Oder weil Paps sich nicht mehr meldet? Oder wegen dem Casting, das mich wahnsinnig nervös macht? Oder nur deshalb, weil es irgendwie schön war, neben Muriel zu liegen und meine Tränen auf ihrer Backe zu spüren? Mist, dass Sophie heute bei ihrer Freundin Charlotte übernachtet! Gegen ein Gute-Nacht-Gespräch hätte ich jetzt nichts einzuwenden. Gestern Abend hab ich sie abgeblockt, weil ich wusste, dass sie mich nur über Luca ausquetschen wollte. Wenn sie heute nach ihm fragen würde, könnte ich ihr leider keine Antwort mehr geben. Ich erinnere mich nämlich kaum noch an ihn, weil ich ihn komplett aus meinem Gedächtnis gestrichen habe.

Ciao, Arschloch!

Aus Adrians Wohnung ist nichts zu hören. Sein Fahrrad stand vorhin auch nicht im Flur. Also ist er wohl noch unterwegs. Mit Ellen? Ich würde gern so lange aufbleiben, bis sie zurückkommt. Und dann so tun, als hätte ich schreckliche Rückenschmerzen und sie um eine Massage bitten. Das kann sie wirklich gut. Beim Massieren würde ich ganz zufällig auf das Thema Adrian zu sprechen kommen. Und dann würden sich bestimmt meine eingebildeten Rücken- in echte Herzschmerzen verwandeln.

Plötzlich wird ganz leise die Tür geöffnet.

„Sophie?"

„Du bist noch wach?", fragt sie und nimmt ihren Rucksack ab. „Es ist Mitternacht!"

„Ich hab deinen Schlüssel gar nicht gehört."

„Mich lautlos raus- und reinschleichen konnte ich schon mit zwölf. Was meinst du, wie oft Mutti gedacht hat, ich liege im Bett, während ich bei irgendeinem Idioten rumhing?"

„Wolltest du nicht bei Charlotte pennen?"

„Da reden wir gleich drüber. Ich muss aufs Klo."

Zehn Minuten später kriecht sie unter ihre Decke, macht die Nachttischlampe aus und fragt: „Schläfst du schon?"

Ich: *Nein.*

Sophie: *Wieso nicht? Ärger mit deinem Luca?*

Ich: *Wer soll das sein?*

Sophie: *Der schönste Typ, der mir je über den Weg gelaufen ist.*

Ich: *Ach der!*

Sophie: *Ich kapier nicht, warum er sich ausgerechnet in dich verknallt hat.*

Ich: *Ich auch nicht. Und er garantiert auch nicht. Außerdem stimmt das gar nicht. Wenn er in mich verknallt wäre, hätte er unser Date nicht vergessen.*

Sophie: *Ist er jetzt für dich gestorben? Dann gib mir morgen seine Nummer, okay? Vielleicht hat 'ne andere Schwabach mehr Glück bei ihm.*

Ich: *Bist du denn nicht mehr in diesen Markus verliebt?*

Sophie: *Marius. Nein, er ist der letzte Penner!*

Ich: *So?*

Sophie: *Er war heute Abend bei Charlotte. Wir haben uns zum ersten Mal etwas länger unterhalten. Das heißt, er hat geredet und ich hab versucht ihm zuzuhören.*

Ich: *Und?*

Sophie: *Nichts und. Der übliche Dummschwätzer. Stinklangweilig. Die meisten Jungs sollten ihren Mund nur zum Küssen benutzen. Da kann man nicht viel falsch machen. Charlotte findet Marius supernett.*

134   **Ich:** *Habt ihr deshalb gestritten?*

Sophie: *Auch. Sie hält mich für eine totale Egoistin. Sie meint, ich käme deshalb nicht mit den Jungs klar, weil ich eigentlich nur mich selbst lieben würde.*

Ich: *Stimmt das denn nicht?*

Sophie: *Doch. Aber ich hör's mir nicht gerne an. Darum hab ich meinen Rucksack geschnappt und bin abgehauen.*

Ich: *Du bist sauer auf Charlotte, weil sie die Wahrheit gesagt hat?*

Sophie: *Ich bin kein großer Fan von Wahrheit. Du?*

Ich: *Ja.*

Sophie: *Das war jetzt glatt gelogen.*

Ich: *Ja.*

Sophie: *Außer mir liebe ich nur noch dich.*

Ich: *Das war jetzt auch gelogen.*

Sophie: *Nur ein bisschen. Du bist schon reichlich seltsam. Weißt du, was Ludwig über dich gesagt hat?*

Ich: *Was denn?*

Sophie: *Dass du der intelligenteste Mensch bist, den er je getroffen hat.*

Ich: *Echt?*

Sophie: *Darauf solltest du dir nichts einbilden. Schließlich ist er den ganzen Tag mit Behinderten zusammen.*

Ich: *Blöde Kuh!*

Sophie: *Gibst du mir wirklich Lucas Nummer?*

Ich: Nein.

Sophie: Weil du ihn immer noch liebst, stimmt's?

Ich: Ich weiß nicht, was Liebe ist.

Sophie: Na und? Das weiß niemand. Aber trotzdem sind alle ständig verliebt. Du und Luca, ihr passt richtig gut zusammen.

Ich: Finde ich auch.

Sophie: Der Schöne und das Biest.

Ich: Er meint, ich bin schön.

Sophie: Er meint was?!?

Ich: Ich bin schön.

Sophie: Gute Nacht!

Ich: Gute Nacht!

Ja: Ich möchte gern Lucas Freundin sein!

Das wird mir klar, als ich am nächsten Morgen am Früh-
stückstisch hocke. Mir gegenüber sitzt Ellen, im Nacht-
hemd und ungekämmt und mit einem umwerfenden Mund-
geruch. Tausend Fragen brennen mir auf der Zunge, aber ich
halte die Klappe und konzentriere mich auf mein Müsli.

Kann mir nicht völlig egal sein, mit wem Adrian in den
nächsten Jahren rumturtelt? Wenn ich siebzehn oder achtzehn bin, werde ich ihm meine Liebe gestehen. Bis dahin
wird er bestimmt noch mehrere Freundinnen haben. Warum soll nicht Ellen eine von ihnen sein? Besonders lang
wird es Adrian sowieso nicht mit ihr aushalten – es sei
denn, er hört sich gerne beim Mittagessen Vorträge über
den 30-jährigen Krieg an.

Okay, meine große Liebe wird mir in den nächsten Jahren
nicht treu sein. Das kann ich leider nicht verhindern. Aber
warum sollte ich dann darauf verzichten, mich mit anderen
Jungs abzugeben? Ich hab keine Lust, mich jahrelang von

jedem Huster in Adrians Wohnung in Verzweiflung treiben zu lassen. Hat er selbst gehustet? Oder irgendein weiblicher Gast, den er vielleicht gleich mit Brustsalbe einschmiert? Besaufen sich die beiden anschließend mit Hustensaft und stürzen dann übereinander her, um sich gegenseitig beim Keuchen zuzuhören? Von solchen bescheuerten Hirngespinsten werde ich doch dauernd heimgesucht.

Schluss damit!

Rebekka und Luca. Luca und Rebekka. Das Model und die Schauspielerin. Das Großmaul und die Angeberin. Der Schöne und die Schöne mit dem kleinen, großen Schönheitsfehler mitten im Gesicht ...

Obwohl es wieder so heiß ist wie gestern, verpacke ich meine Stelzen lieber in der alten Jeans statt in einem von Sophies Miniröcken. Auf gierige Blicke von geilen Opas kann ich verzichten. Heute Nacht hab ich sogar von dem grauhaarigen Kerl geträumt, der mich gestern im Hofgarten angeglotzt hat. Warum hab ich ihm nicht die Kaffeetasse auf den Schädel gedonnert?

Auf dem Weg zur Haltestelle gehe ich in Gedanken den Monolog aus dem Drehbuch durch, mit dem ich morgen die Jury beim Casting beeindrucken möchte. Ich lege mir die Betonungen genau zurecht. Ganz ruhig und gelassen will ich beginnen, um mich dann allmählich in den totalen

Hass auf meine Geschwister hineinzusteigern. Am Ende will ich meine Wut so laut aus mir herausbrüllen, dass den Jurymitgliedern das Trommelfell platzt.

In der Bahn überlege ich, was ich Luca gleich im Eiscafé sagen soll.

Eine Erdbeermilch bitte! Und außerdem möchte ich unbedingt deine Freundin werden, okay?

Aber vielleicht sollte ich erst mal ein paar ernste Worte mit ihm reden, weil er gestern nicht im Hofgarten aufgekreuzt ist. Ich werde so tun, als sei ich immer noch stinksauer. In Wirklichkeit bin ich das natürlich gar nicht mehr. Dafür freue ich mich viel zu sehr auf den Begrüßungskuss. Wenn ich an Lucas weiche Lippen denke, kribbelt es mich im ganzen Körper.

Auf wackligen Knien steige ich in der Altstadt aus der Straßenbahn. Klar, an so einem schönen Sonntagvormittag ist hier die Hölle los. Es riecht nach Schweiß, Pommes, Parfums und Hundekacke. Tauben streiten sich um verschimmelte Pizzareste. Die Kirchenglocken dröhnen so laut, dass die Leute sich anschreien müssen. An einer Ecke steht ein rothaariger Typ mit einer Trompete, die grauenvolle Geräusche von sich gibt. Und der will Kohle dafür haben? Der Spinner sollte mir lieber Schmerzensgeld zahlen, weil ich mir diesen Mist anhören muss!

Das Eiscafé von Lucas Onkel kommt in Sicht. Weil nur noch ein einziger Tisch frei ist, beschleunige ich meine Schritte. Das Gewühl ist so groß, dass ich ein paar Leute zur Seite schubsen muss.

„Pass doch auf!", beschwert sich eine blonde Ziege, die sich zwei Tonnen Schminke zuviel ins Gesicht gekleistert hat.

Unbeeindruckt setze ich meinen Weg fort, bis ich meinen Platz am freien Tisch erobert habe.

Von Luca ist nichts zu sehen. Ich greife nach der Karte und überlege, ob ich mir einen Himbeerbecher oder ein Spagettieis bestellen soll.

„Hi, Rebekka!"

Luca steht vor mir, in einem dunkelroten Hemd und einer weißen Schürze.

„Hi!"

„Weißt du schon, was du haben willst?", fragt er ungeduldig, ohne eine Miene zu verziehen.

„Ja. Dich."

Er verdreht die Augen. „Ich hab keine Zeit für dumme Sprüche! Guck mal, was hier los ist! Ich bin der einzige Kellner heute."

„Himbeerbecher", sage ich, worauf sich Luca eilig nach **140** drinnen verzieht.

Ja, er hat Recht: Über Mangel an Arbeit kann er sich nicht beklagen. Ich beobachte ihn dabei, wie er mit einem übervollen Tablett aus dem Café stürmt und in Windeseile zwei Tische bedient. Dann räumt er zwei andere Tische ab und wird dabei ständig von Gästen gerufen, die bezahlen wollen. Was für ein irrsinniger Stress! Ob das der Grund für Lucas miese Laune ist?

Ein paar Minuten später stellt er den Himbeerbecher vor mich hin.

„Wo warst du gestern?", frage ich ihn schnell, weil er sich sofort wieder verziehen will.

„Wieso gestern?"

„Wir waren doch im Hofgarten verabredet. Um drei."

„Waren wir nicht", widerspricht Luca. „Du wolltest doch nicht kommen."

„Ich war aber trotzdem da."

„Pech für dich", meint Luca achselzuckend. „Ich war woanders. Und hab zufällig jemanden getroffen", fügt er mit einem verlegenen Lächeln hinzu.

„Wen denn?"

„Nadja, eine Ex von mir. Das heißt, seit gestern ist sie nicht mehr meine Ex."

„Sondern?"

„Meine Freundin."   **141**

„Aha", mache ich nur, obwohl ich am liebsten vor Wut den Himbeerbecher packen und Luca ins Gesicht schmeißen würde.

„Du brauchst gar nicht so beleidigt aus der Wäsche zu gucken", meint Luca. „Du wolltest doch sowieso nichts von mir wissen. Von Anfang an hast du mich wie den allerletzten Vollidioten behandelt. Glaubst du, ich fand das superlustig? Und dann dieser Kuss in deinem Zimmer! Da dachte ich Blödmann, wir beide wären jetzt zusammen. Aber nein: Einen Tag später erzählst du mir wieder irgendwelchen Scheiß am Telefon. Tut mir Leid, aber du bist für mich erledigt!"

„Tut mir auch Leid!"

„Lüg doch nicht! Du bist doch froh, dass ich dir nicht mehr auf die Nerven gehe.

„Stimmt."

Ich stehe auf und marschiere mit großen Schritten davon.

„Was ist mit dem Himbeerbecher?", ruft Luca mir hinterher.

Himbeerbecher. Himbeerbecher. Himbeerbecher. Himbeerbecher. Himbeerbecher.

In der Altstadt, an der Haltestelle, in der Bahn, auf meinem Bett: Stundenlang kreist das Wort Himbeerbecher in meinem Schädel herum. Nie mehr im Leben werde ich Himbeeren essen können, ohne dabei an Luca denken zu müssen.

Also rühre ich nie mehr im Leben eine Himbeere an.

**21.
Kapitel**

Ein grauenvoller Nachmittag!

Es regnet. Mir ist kalt. Und mir ist schlecht. Und Britta Steiner steht auch am Bahnsteig, nur zehn Meter von mir entfernt, und grinst immer wieder dämlich in meine Richtung. Ich zeige ihr die kalte Schulter. Diese Nummer beherrsche ich perfekt.

Fährt der große Star unserer Theater-AG etwa auch zum Casting nach Köln?

Frierend laufe ich auf und ab und konzentriere mich auf den Monolog im Drehbuch. In den nächsten zwei, drei Stunden bin ich nicht mehr Rebekka, sondern Judith. Und meine Geschwister heißen nicht Sophie und Ellen, sondern Marc und Lydia.

Auch im Zug gehe ich immer wieder Judiths Hassausbruch durch. Das hält mich davon ab, an was anderes zu denken. Zum Beispiel an diesen sizilianischen Schönling, der mich gestern so gnadenlos abserviert hat. Und dem ich deswegen nicht mal böse sein kann.

Ich blöde Kuh hab alles falsch gemacht ...

Aber das ist jetzt völlig unwichtig. Was nun einzig und allein zählt, ist das Casting. Ich werde allen beweisen, dass ich nicht nur im richtigen Leben schauspielern kann. Niemand wird mir die Hauptrolle wegschnappen können, schon gar nicht Britta Steiner!

Vom Hauptbahnhof zur Produktionsfirma sind es nicht mal zehn Minuten. Auf dem Weg dorthin möchte ich mehrmals umdrehen und nachschauen, ob mir Britta tatsächlich auf den Fersen ist. Doch dann würde sie sich noch einbilden, ich hätte Angst davor, dass sie auch beim Casting mitmacht. Als ob sie auch nur die geringste Chance auf die Rolle hätte! Britta kann nicht mal einen Mülleimer spielen.

Eine nette Dame mit dunkelrotem Lippenstift empfängt mich in der Firma, die im zweiten Stock eines supermodernen Glashauses untergebracht ist. Sie trägt meinen Namen in eine Liste ein und führt mich in ein großes, helles Zimmer, in dem etwa zwanzig Mädchen in meinem Alter sitzen. Einige hören Discman, andere blättern in Zeitschriften, eins checkt gerade die Wimperntusche in einem winzigen Spiegel. Keins der Mädels schenkt mir auch nur die geringste Beachtung, als ich hereinkomme. Und sie wechseln auch kein einziges Wort miteinander. So viel Arroganz auf einem Haufen ist mir noch nie begegnet. Irgendwie fühle ich mich hier sofort wie zu Hause.

„Valerie Jörensen bitte!", tönt es aus einem kleinen Lautsprecher in der Ecke.

Megacool erhebt sich eine riesige Blondine mit ganz kurzen Haaren von ihrem Stuhl und schlurft in Zeitlupe hinaus.

Zehn Sekunden später taucht Britta Steiner auf. Ich drehe meinen Kopf zum Fenster und zähle die Regentropfen, die an die Scheibe klatschen.

„Madeleine Fleury bitte!"

Was? So schnell geht das hier? Die blonde Giraffe ist doch erst vor einer Minute aufgerufen worden.

Britta hat sich am anderen Ende des Raums niedergelassen und sich hinter einem Modeheft verschanzt.

„Agnes Jabowski bitte!"

Für jedes Mädel, das verschwindet, kommt ein neues rein. Darf hier etwa halb Deutschland beim Casting mitmachen? Diesen Aufwand hätte sich die Firma ruhig sparen können.

Die Judith wird von Rebekka Schwabach gespielt, basta!

„Rebekka Schwabach bitte!"

Nanu, ich bin schon dran? Mindestens zehn Mädels waren doch vor mir hier. Ob das ein gutes Zeichen ist?

Mein Herz klopft wie verrückt, als ich mich in Bewegung

setze.

Im Flur kommandiert der dunkelrote Lippenstift: „Erste Tür links!"

Es ist ein winziges Zimmer mit zwei Tischen, hinter denen drei Männer und zwei Frauen sitzen. Der Typ in der Mitte hat eine Glatze und lächelt mich an.

„Hallo, Rebekka!", begrüßt er mich freundlich. „Ich bin Kai Schelfhaus, ein Freund von Sven Breuer. Er hat dich uns dringend empfohlen." Er wendet sich an die vier anderen am Tisch. „Das ist das Mädchen mit der tollen Stimme, das sehr erfolgreich Werbung spricht."

Verlegen schaue ich hinab auf meine Schnürsenkel.

„Hast du das Drehbuch bekommen?", fragt mich der Glatzkopf.

„Ja, hab ich."

„Und?"

„Möchten Sie Judiths langen Monolog hören, in dem sie ihrer Freundin verrät, dass sie Marc und –"

„Jaja, fang an!", unterbricht mich die Frau ganz links und schaut dabei genervt auf die Uhr. „Wir wollen nicht bis Mitternacht hier rumsitzen."

Ich werfe der dummen Ziege einen giftigen Blick zu. Dann hole ich ganz tief Luft und fange an, ruhig und verhalten, also genauso, wie ich es einstudiert habe.

Bereits nach den ersten Sätzen wird es unruhig hinter den

147

Tischen. Ein fetter Kerl mit Vollbart kratzt sich mit beiden Händen am Bauch. Ein anderer Typ schraubt seinen Kuli auf und wieder zu. Die Frau ganz links pult mit zwei Fingern in ihren Haaren herum, wahrscheinlich auf der Suche nach Kopfläusen. Und Mister Glatze poliert dieselbe mit einem goldenen Tuch.

Ich versuche mich nicht davon ablenken zu lassen und steigere mich immer mehr in den Hass auf meine Geschwister Marc und Lydia hinein. Dabei muss ich ständig an Sophie und Ellen denken.

Und plötzlich taucht der Spielplatz im Hofgarten vor mir auf, in dessen Nähe ich vorgestern auf Luca gewartet habe. Ich sehe Ellen vor mir, die dort oft auf Sophie und mich aufgepasst hat, als ich noch im Kindergarten war. Sophie muss damals sieben oder acht gewesen sein und Ellen elf oder zwölf. Wenn wir nicht alleine zurechtkamen, rannten wir sofort zu Ellen, die lesend auf einer Bank saß und jede Störung hasste. Doch wenn wir wirklich Hilfe brauchten, konnten wir uns auf sie verlassen. Dann klappte sie ihr Buch zu, sprang auf und machte irgendwelche Kinder zur Schnecke, die uns geärgert hatten.

„Was ist los, Rebekka?" Der Glatzkopf hat jede Menge Stirn und legt sie jetzt in Falten. „Hast du den Faden verloren?"

Ich nicke. „Und außerdem ist mir gerade eingefallen, dass

ich meine Geschwister gar nicht hasse. Jedenfalls nicht die echten", füge ich hinzu, worauf die fünf Leute hinterm Tisch höchst gelangweilte Blicke wechseln.

„Vom Monolog weiß ich kein einziges Wort mehr", gestehe ich. „Aber wenn Sie wollen, kann ich Ihnen ein Gedicht von Hölderlin aufsagen."

„Hölderlin?"

„Ja. Es heißt ‚Menschenbeifall'. Eigentlich dachte ich, ich hätte die zwei Strophen völlig vergessen. Aber eben sind sie mir wieder eingefallen."

Mister Glatze steht hastig auf und gibt mir die Hand. „Auf Wiedersehen, Rebekka! Wir rufen an, okay?"

„Krieg ich denn die Rolle?"

„Wie gesagt: Wir rufen dich an!"

„Alles klar! Ciao!"

Ich verlasse den Raum, gehe durch den Flur, steige in den Aufzug, steige zwei Stockwerke tiefer wieder aus und stehe dann auf der Straße. Es regnet viel heftiger als vorhin, aber ich habe es trotzdem nicht besonders eilig. Meine Schwestern und meine Freundinnen und der Rest der Welt wird noch früh genug davon erfahren, dass ich die Rolle nicht bekommen habe.

Auf einmal beginnt es zu hageln. Kleine Steinchen prasseln vom Himmel und tun mir richtig weh.

Ich flüchte in eine Telefonzelle. Und weil ich schon so lange nicht mehr mit ihm gesprochen habe, rufe ich kurz entschlossen meinen Vater an. Um diese Uhrzeit ist er bestimmt noch im Büro.

„Na, Paps? Wie geht's?"

„Gut. Und dir?"

„Du klingst müde."

„Und du traurig. Ist was Schlimmes passiert?"

„Allerdings", seufze ich. „Muriel hat ihre Tage bekommen."

„Äh – und was ist so schlimm daran?"

„Dass ich noch nie meine Tage hatte. Bist du sicher, dass ich ein Mädchen bin?"

Paps lacht. „Eigentlich schon. Wenn du ein Junge geworden wärst, hätten wir dich nicht Rebekka genannt." Er macht eine Pause. „Soll ich deinen Namen wieder ein paar Mal aussprechen, so wie bei deinem letzten Anruf?"

„Nein. Da war ich nicht ganz normal."

„Na und? Das warst du doch noch nie. Zum Glück!"

„Was soll das heißen?"

„Sorry, aber ich ersticke in Arbeit! Ruf mich doch heute Abend zu Hause an, okay? Dann hab ich mehr Zeit."

„Mach ich!"

„Ach nein, lieber morgen. Gabi will ja nachher unbedingt ins Kino."

„Seit wann gehst du ins Kino?", wundere ich mich.

„Soll ich dir mal was verraten? Ich hasse Kino! All diese Popcornfresser und diese endlose Werbung! Immerhin höre ich dabei ab und zu deine Stimme. Gabi behauptet, ich mache dann immer ein ganz stolzes Gesicht. Mach's gut, Rebekka!"

„Ciao, Paps!"

„Bis morgen!"

Ich lege auf und werfe einen Blick nach draußen. Vor der Zelle steht Britta Steiner unter einem riesengroßen, weißen Regenschirm. Sie zieht die Tür auf und fragt: „Sollen wir zusammen zum Bahnhof gehen?"

„Meinetwegen!"

Auf den ersten hundert Metern schweigen wir vor uns hin. Dann frage ich sie: „Woher wusstest du von dem Casting?"

„Ich hab eine Anzeige in der Zeitung gelesen."

„Und? Bekommst du die Rolle?"

„Nein. Du?"

„Nein", antworte ich.

Wir schweigen wieder, bis wir den Bahnhof erreicht haben. Als Britta ihren Schirm zumacht, grinst sie mich an und sagt: „Du kannst mich nicht ausstehen, stimmt's?"

„Du mich auch nicht, stimmt's?"

Sie lacht. Ich will mitlachen, aber von einer Sekunde zur

andern macht Britta plötzlich ein ganz ernstes Gesicht. Sie öffnet den Mund, um etwas zu sagen, dreht mir dann jedoch abrupt den Rücken zu und stapft davon.

Schade. Wir hätten bestimmt gute Freundinnen werden können ...

Sophie: *Schläfst du schon?*

Ich: *Ja.*

Sophie: *Schade. Gute Nacht!*

Ich: *Nein, ich schlafe nicht.*

Sophie: *Ich bin mit Marius zusammen.*

Ich: *Dem langweiligen Dummschwätzer?*

Sophie: *Der ist gar nicht so dumm. Und langweilig bin ich selbst. Na ja, dumm eigentlich auch. Stell dir vor: Marius war noch nie besoffen. Und einen Joint hat er auch noch nie geraucht.*

Ich: *Und trotzdem bist du in ihn verliebt?*

Sophie: *Vielleicht bin ich das gar nicht.*

Ich: *Ich denke, ihr seid zusammen.*

Sophie: *Was heißt das schon?*

Ich: *Dass ihr euch trefft und rumknutscht und irgendwann mal Sex habt.*

Sophie: *Na und? Dafür muss man sich doch nicht lieben. Glaubst du, Mutti liebt diesen öden Ludwig?*

Ich: *Keine Ahnung. Ach ja: Ich hab den Cognac weggeschüttet.*   **153**

Sophie: *Spinnst du?*

Ich: *Wieso?*

Sophie: *Was soll ich denn jetzt saufen, du Idiotin? Mutti hat die Flasche doch nur wegen mir versteckt!*

Ich: *Sie trinkt gar nicht?*

Sophie: *Natürlich nicht. Hast du mir das echt geglaubt?*

Ich: *Warum lässt du dir immer so einen Scheiß einfallen?*

Sophie: *Sorry, dass ich mir nicht so tolle Lügen ausdenken kann wie du! Du bist gar nicht wirklich mit diesem Luca zusammen, oder?*

Ich: *Wie kommst du darauf?*

Sophie: *Bist du seine Freundin, ja oder nein?*

Ich: *Nein.*

Sophie: *Wusste ich's doch! Wie ist das Casting heute gelaufen? Hast du die Rolle?*

Ich: *Keine Ahnung. Sie rufen an.*

Sophie: *Ich bin sicher, dass du die Rolle kriegst.*

Ich: *Wieso?*

Sophie: *Weil ich dich super finde. Als Schauspielerin meine ich. Hey, was ist los?*

Ich: *–*

Sophie: *Lass das Geschluchze! Ich weiß ja, dass du irgendwann mal den Oscar kriegen wirst.*

154   **Ich:** *Das ist nicht gespielt. Ich flenne wirklich.*

Sophie: *Quatsch!*

Ich: *Das ist mein neues Hobby.*

Sophie: *Erzähl keinen Schrott und hör auf mit dieser elenden Schwindelei! Gleich willst du mir wieder weismachen, du wärst in unseren Nachbarn verknallt.*

Ich: *Bin ich auch. Aber der ist leider in Ellen verknallt.*

Sophie: *Blödsinn! Ellen hat sich beim Abendbrot furchtbar über ihn aufgeregt.*

Ich: *Über Adrian?*

Sophie: *Sie redet nie mehr ein Wort mit ihm. Er hat nämlich behauptet, Unis wären nicht halb so wichtig wie Müllverbrennungsanlagen. Und Studenten wären nichts anderes als peinlich.*

Ich: *Ich liebe ihn!*

Sophie: *Und ich liebe meinen Deutschlehrer.*

Ich: *Echt?*

Sophie: *Bist du wahnsinnig?*

Ich: *Dir traue ich irgendwie alles zu.*

Sophie: *Ich dir auch. Darum kommst du auch mal ganz groß raus.*

Ich: *Das Casting lief beschissen. Ich krieg die Rolle nicht. Vorhin kam der Anruf.*

Sophie: *Hm.*

Ich: *Bist du jetzt von mir enttäuscht?*

Sophie: *Bist du selbst von dir enttäuscht?*

155

Ich: Ja. Riesig. Ich bin total unbegabt.

Sophie: Du bist total begabt.

Ich: Ich bin total unbegabt.

Sophie: Du bist total bescheuert! Gute Nacht!

Ich: Gute Nacht!

Christian Bieniek
Knutschen erlaubt!
160 Seiten
ISBN 3-505-11443-X

Nein, Rebekka hat's nicht leicht ... Zwei Schwestern nerven bis
zum Umfallen, Die Mutter will nicht mehr Mama sein, sondern Luise.
Der Vater lebt seit seiner Liebschaft mit einem blutjungen Wesen auf
einem anderen Stern. Der 22-jährige Nachbar ist blind wie ein Maulwurf für
Rebekkas Liebe. Und dann bekommt sie auch noch ein schreckliches
Angebot: Sie soll einen fremden Typen abknutschen. In einer Soap!
Im Fernsehen! Sie hat aber noch nie geküsst. Jedenfalls nicht so richtig.
Was tun? Na was wohl!

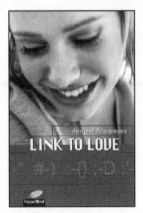